ちくま学芸文庫

科学的探究の喜び

二井將光

JN095690

筑摩書房

目　次

科学的探究の喜び

プロローグ

「朝食はどうしよう？」で私たちの毎日は始まります
忙しいのでジュースだけで仕事場や学校へ急ぐこともあれ
ば，週末には栄養や体調を考えてゆっくり準備し，食材の
選び方や卵の料理法，パンの焼き方までこだわる場合もあ
ります．日々の生活の中でも私たちは問いかけ，解決して
行動しています．私たちの職場や研究室には，朝食とは桁
外れに難しい課題が待っていますが，疑問を持ち解決して
いくのは同じで，常に問いかける姿勢が私たちの生活の根
底にあります．

　　「何を知りたいか」（疑問）

　　「いかにして答えを出すか」（解決の方向）

どのような探究もここから始まり，科学者は自然界にある
難問を解決しようと努力します．そのためには疑問を持っ
た現象を分析・精査し，解決の方向を決めていきます．文
献の調査や取材によって解決することはまれで，自然科学
では常識にこだわりつつ，独自の発想によって実験・観察
を重ね，答えを求めようとします．実験データを整理して
結果を同僚・上司と考察します．その過程で思い掛けない
進展がある場合もあれば，逆戻りすることもありますが，

さらに実験・観察を重ねて発見・結論に至ると，再現性があることを確認します．これが《探究》の過程です．

　計画通りに結論が導き出せるのは滅多にないことで，何年もかかる場合もありますが，結果がまとまり新しい発見が確定すると，報告書，レポート，論文などの執筆という喜びが待っています．探究と同様に容易なことではなく，汗をかく仕事です．また，並行して広く学会や様々な場で結果を話します．論文（報告）が認められると世の中で共通した知識となり，研究の交流が更なる進歩，そしてより深く広い知識につながります．

　分子生物学の先駆者ジャック・モノーが「人と宇宙の関係を解き明かすのが科学であると考えると，生物学は科学の中心になります」と書いているように，地球上の科学の中心には生物がいます．ヒトから動植物，細菌に至るまで，多様な生物にはたくさんの疑問があります．

　科学は概念としての遺伝現象から，遺伝子という実体を見つけ，生物の設計図である DNA 分子を確立しました．DNA に書かれた情報がタンパク質に翻訳され，遺伝子が複製されて細胞が分裂する過程，そしてすべての過程に使われるエネルギーが分子のレベルで明らかになりました．ヒトをはじめとする霊長類からムシ類（昆虫，線虫など），そして植物などの DNA のすべての配列を手にし，科学は新しい視点から生物を捉えています．

　多様な生物は，動物学，植物学，博物学，医学，薬学，農学，情報科学などの広い分野で研究されています．生物

からかけ離れていると考えられる工学分野でも，生物工学，生物規範工学，生物模倣技術が生まれています．環境汚染や地球温暖化を考える上では生物学が中心になり，人文科学や社会科学の視点が欠かせません．

　大学や大学院では文科系，理科系を問わず，卒業実習や卒業論文，学位論文などを通じて「主体的に考えること」「独創的な視野をもつ探究」が教育の根幹になってきました．2022 年の高等学校の学習指導要領改訂によって，「総合的な学習の時間」が「総合的な探究の時間」になりました．その目的は，

　　　「主体的に課題を設定し，情報の収集や分析を進める能力を高める」

とありますから，まさに研究を体験することになります．教科書を勉強し，答えのわかっている問題を解く教育からは大きな飛躍です．《探究》が日本の科学の飛躍的な発展に結びつくことを期待しています．

　本書では私が研究生活で経験した，探究から《報告・レポート・論文》までの流れ，そして《発表》に関しての進め方やノウハウ，そして発見を伝える喜びを述べたいと思います．少しでも参考になれば幸いです．

　2023 年　初春

二井將光

第1章　幼児から科学者まで

1　素朴な疑問

　私たちは毎日の生活や職場での仕事の中で，多様な知識をすでに身に付けています．しかし，改めてまわりを見まわすと，**不思議なことがたくさんあります**．疑問を持つと幼児から大人まで「なぜ？」と問いかけます．幼い子供は「こんなこと聞くのは，恥ずかしい」とは思いませんから，大人が考えてもいないことを尋ねます．思いがけない質問に，困ったことはありませんか？

　私は幼い頃，戦禍を避けて信州で祖母と二人で疎開していました．江戸っ子の祖母にとって信州の冬を越すのは大変でした．今では信じ難い距離を歩いた買い出し，秋が来て紅葉を見上げながら歩いた坂道，外国人のおばさんがリンゴを手渡してくれ，地下室に保存した野菜を運ぶ手伝いなど，断片的な記憶があります．そのような日常の中で，幼い私にも春の喜びが感じられたのではないでしょうか．ある日庭に咲いているスズランをみつけ，「どうしてこんなに良い匂いがするの？」と祖母に聞きました．答えは「スズランは良い香りなの」で，それ以上は教えてもらえ

ませんでした．その香りの印象はとても強く，咲いていた
場所，質問をした場面，言葉をはっきりと記憶していま
す．

　大人はスズランの香りに疑問を持つと整理して，

　・香りの本体はどのような化合物か

　・植物にとって香りはどんな役割をしているのか

　・香水にする過程は

　・鼻粘膜にあるどの細胞が香りを捉えているのか

　・どのような神経回路を経て香りは認識されるのか

などと質問が浮かんできます．幼児が何を尋ねたいのか
は，大人のように表現はできなくても，むしろはっきりと
しているのではないでしょうか．稚拙な言葉でも，もしか
したら大人が思いつかないことに疑問を感じているかもし
れません．4歳の私がスズランの香りの何を知りたかった
のかは憶えていませんが，祖母がもっと丁寧に答えてくれ
れば，さらに質問をし，祖母は返事に困ったのかもしれま
せん．

幼児のつぶやき

　何年も前になりますが，週末の散歩の途中で面白そうな
本に出会いました．幼児のいろいろな動作がイラストで描
かれた表紙が目にとまりました（図 1-1）．『新装版 幼児
のつぶやきと成長』（亀村五郎著）で，著者が収集した2
〜5歳の幼児の発言を集めたものでした．

　『つぶやき』をいくつか，紹介しましょう．お伽噺は

図1-1　「幼児のつぶやき」に出会う

「昔々，おじいさんとおばあさんがいました」から始まる
ものが多いですが，「むかしって，おじいちゃんとおばあ
ちゃんが，たくさんいたのね」とつぶやいています．ま
た，「どうして，ごきぶりきたないの，おかあちゃん，お
ふろにいれて，きれいにあろうたり」，「へびは，どこから
しっぽなの」，「どうして，外側はくびで，中はのどなの」
など．先入観のない素朴な疑問です．子供たちが身近にい
る生き物に疑問を持ち，知的好奇心をいだくのは素晴らし
いことです．この質問をした子供たちは私のスズランの香
りの驚きと同様に，大人になっても幼い頃のつぶやきを記
憶しているでしょう．亀村氏の本を非常に嬉しく読みまし
た．

　２歳のひでき君は「どうして，ごきぶりきたないの」と聞いています．大人はあの姿が汚いわけではなく，家屋の清潔でない所を住処にしているから，汚いから触らないように子供に教えます．ゴキブリは本当に汚いのでしょうか．ひでき君の質問は漠然としていますが，本質的な質問でもあります．「きたない」は不衛生ですから，病気につながります．昆虫やムシの中には病原体を媒介する衛生害虫が知られています．マラリア原虫，日本脳炎を媒介する蚊，日本紅斑熱を起こすリッケッチャや重症熱性血小板減少症候群を起こすウイルスを媒介するマダニ，アレルギーを起こすイエダニ，致死性の毒を持つサソリやクモ，刺されるとショック症状を起こすハチなど，たくさん知られています．現代でも衛生害虫は脅威です．

　ゴキブリは，蚊のようにヒトを刺したりしませんし，アレルギーは起こしません．特定の病原微生物やウイルスを媒介しないようですから，衛生害虫とは言えないでしょう．しかし，サルモネラ菌，赤痢菌，チフス菌などの感染症に結びつくような細菌をまとっていますから，幼児の言うように「きれいにあろう（洗う）たり」が必要です．野菜を洗って付着している土壌細菌を除いてから，食べているのと同じです．

　日本ではシャコやナマコのような変わった動物も食べていますから，「きれい」にしたら「ゴキブリは食べられるのか」と聞きたくなるのは，子供だけではないかもしれません．図書館やインターネットで調べる人もいるでしょ

う.

　ゴキブリが食べられるかについて,最近話題になっている昆虫食を考えてみましょう.人間は古くから蜂蜜に加えて,蜂の子,イナゴ,サソリ,カイコなどの昆虫を食用にしてきました.長野県では現在でもカイコの蛹やイナゴの佃煮がスーパーで普通に売られています.甘味のついた佃煮はなかなかの美味です.私の家で蜂の巣を落としたとき,蜂の子が入ったままで捨てたと聞いた地元の友人は,「勿体無い!　蜂の子は美味しいのに」と呟いていました.次の機会のためにフライパンで炒めてから醬油をかける料理法を教えてくれました.戦前に岐阜県の山村で過ごした友人からは,蜂の子を入れて炊いたご飯がご馳走だったと聞いています.

　農林水産・食品産業技術振興協会のホームページに「多彩だった日本の昆虫食」という記事があり,なんと長野や東京には昆虫食の自動販売機まであるそうで,最近注目されているのがわかります.インターネットで『楽しい昆虫料理』(内山昭一著)という本を見つけました.スズメバチのキッシュ,ゴキブリ雑煮,ゴキブリのカナッペなどのレシピが出ています(図1-2).

　中国では1500年前に出された薬物書『神農本草経』にゴキブリはクスリ(生薬)として記録されています.現在でも,乾燥したゴキブリ,ハンミョウ,クロアリなどから医薬品のシーズ(元になる化学物質)を見つけようという努力がされています.

図1-2 昆虫を食べる，各種の昆虫料理が書かれている.

　広い世界にも昆虫食の習慣があり，食べられている昆虫は500種類あると推定されており，2013年に国連食糧農業機関（FAO）が発表した推奨する未来の食材（Edible Insects: Future Prospects for Food and Feed Security）に含まれています．Edibleは「食用になる」を意味します．しかも，昆虫の単位重量あたりの栄養価は，牛肉よりもはるかに高いとされています．イギリスでは18世紀ごろまでゴキブリをジャムとし，粉末コオロギがチップスになっています．未来の食材としてコオロギに注目して，ある企業が飼育を始めたというニュースがありました．私は見たことも食べたこともありませんが，現在でもコオロギは唐揚げや天ぷらなどがあり，味と食感はえびと同じだと

の記載がありました.

　ひでき君の「疑問」を調査・研究して結論に至ったと言えるでしょうか.「ゴキブリはきたない？　→　ならば洗う　→　食べてみる　→　未来の食材」と展開しました. ゴキブリのくれた教訓としては

　　　　「モノの見方を変えると新しい知識・発展につながる」

です. お正月にゴキブリ団子の雑煮を食べる時代が来るかもしれません. しかし, この展開にひでき君は「でも, どうしてきたないの」と聞きそうです. ゴキブリは質問に答えるむずかしさを教えています.

　4歳のはなこさんは「ヘビは, どこからしっぽなの」とつぶやきました. 大人は「蛇には尻尾があるはずはない」と思っています. 蛇足という言葉がありますが, ヘビには足がなく, どこまでが胴体なのかわかりません.

　四つ足の動物のしっぽ（尻尾）はどこについているでしょうか. 後ろ足の付け根の部分に肛門があり, 脊椎の後方がしっぽになっています. ヘビではどうでしょうか. 調べてみると, 肛門の近くに退化した後ろ足の小さな骨が残っています. そこから後ろの部分がしっぽになります. 人間にはしっぽがありませんが, 脊髄の末端に尾骶骨があります. 後ろ足の退化, しっぽの進化・退化につながる面白い研究対象になるかもしれません.

　同じ4歳のみほちゃんの問いかけで「むかしって, おじいちゃんやおばあちゃんが, たくさんいたのね」には思わ

ず笑いました．みほちゃんは大人が当然のように繰り返し語るお伽話の始まりに疑問を持ちました．この疑問に答えるのも簡単ではありません．

　大人はたくさんのお伽話を集め，「昔々，おじいさんとおばあさんがいました」で始まる話がどのくらいあるか，「おじいさんとおばあさん」ではない例はどうか，地方による違いはないか，などと興味は広がるでしょう．Once upon a time で始まることが多い英語の童話にも疑問を広げることになるかもしれません．東西を比較して，日本文化の研究に繋がるでしょう．これでみほちゃんの質問に答えられるでしょうか．

　誰もが当然と思っている汚い昆虫，動物の体型，考え方や仮説・理論に，疑問を持って問いかけることが大切であると，幼児は教えています．

子ども科学電話相談

　夏休みや連休に，幼児・小学生が自然や生物についての疑問を専門家にたずねる，ラジオ番組「子ども科学電話相談」を聞いたことがありますか？　小学生の素直な質問と先生の対応が面白く，私の孫も参加したことがあり好きな番組です．自分が不思議だと思う点を，先生に正確に受け止めてもらうのは貴重なことですし，納得できる答えを聞くことになれば，大切な体験となるでしょう．子供を科学に導く優れた番組だと思います．しかし，答えに窮して難しい専門用語を使ってしまう先生がいますが，これはいけ

ません．もっと困るのは，子供の質問の本質をつかまない
で，自分の考えに誘導することです．

　子供のつたない言葉の中から，何を問うているのかを探
り出すのが，最も大切な役目でしょう．優れた先生は「よ
くわかりませんが」と言ってから話を始めています．専門
家でもすべてがわかっているのではありません，「先生で
もわからないことがある」と教えているのも大切です．先
生と小学生の間に立って，アナウンサーが見事な仲介役を
務めるときもあります．子供たちは素直に最後に「はい，
わかりました．ありがとうございました」と決まって答え
るのですが，私としては，「自分がたずねているのはそう
いうことではないとか，まだわからない！」と追求する子
供の登場を期待しています．

　このラジオ番組で小学生が疑問を持つことの大切さを知
り，探究心につながればさらに素晴らしいことです．

　「幼児のつぶやき」と「子ども科学電話相談」は，すぐ
にあたりまえとしないで，先入観を持たずに考える，これ
が大切であると教えています．私の祖母が「スズランは良
い香りなの」と語った時代とは異なり，現在はさまざまな
教材・メディアにあふれていますから，幼児のつぶやきを
一つずつ受け止め，膨らませたいものです．

　また，『幼児のつぶやき』の著者・亀村五郎先生は，幼
児のつぶやきを大人が書き留めることを勧めておられま
す．「子どもは表現をし，それをあたたかく受けとめるも

のがいて心を開きます．おとなのあたたかく，適切な対応
は，子どもたちの認識を増し，語彙の内容を増していきま
す」とむすんでいます．

　素朴な疑問からの研究が，大きな基礎科学の発展につな
がり，新しい分野を拓き，応用へ広がっていくことは，科
学の歴史を見ると自明なことです．そして素朴な疑問を持
つ姿勢は，幼い頃から育てられるものです．

2　科学という言葉と概念

言葉の歴史

　「幼児の問いかけ」から一気に進んで，科学に焦点を当
てていきましょう．サイエンスという概念と言葉が，江戸
末期から明治初期に欧米から入ってきました．これを「科
学」と翻訳したのは西周（1829-1897）だと言われていま
す．蘭学を学び，15代将軍徳川慶喜（1837-1913）に側近
として仕え，維新以降は明治政府に出仕し貴族院議員を務
めています．まず「学術」という言葉を作った西周は，
「百科の学術」（たくさんの学術分野）から「科学」という
言葉を作り出しました．福沢諭吉（1935-1901）は医学，
薬学，工学，農学など実用（応用）を強調し，サイエンス
を「実学」と翻訳したと言われていますが，採用には至り
ませんでした．しかし，実学という言葉は実用性と技術を
重んじる学問としては現在も残っています．西周の考えた
科学という概念と言葉は広く使われるようになりました．

　西周の出身地・島根県津和野町を桜の季節に訪ねました．中国山脈の山深い地は非常に美しい所でした．人口の決して多くないところから学者・文化人が輩出しているのは不思議でした．18世紀末（天明年間）に儒学を中心として設置された津和野藩の藩校「養老館」での教育が優れていたのだと思います．西周の旧居を訪ねる人は多くなく，ひっそりとしていましたが，何かを語る自信に満ちた雰囲気が建物にも庭の樹木にも感じられました．

　さて，津和野からさほど遠くない，中国山地の津山藩（現在の岡山県津山市）に生まれ，後の日本の医学や化学の基礎作りに大きく貢献した，藩医の宇田川三代の存在も忘れてはいけません．宇田川玄随（1755-1797）は杉田玄白（1773-1817），前野良沢（1723-1893）と蘭学を学び，西洋の内科学を紹介しました．二代目の玄真（1769-1834）は，リンパ腺，膵臓などの翻訳語を作る一方，百科事典をオランダ語から翻訳しています．三代目の榕庵（1798-1846）はシーボルトと親交を持ち，現在も私たちが使っている優れた様々な分野の翻訳語を作っています．また，百科事典（ショメール），医学書，薬学書，植物学書，化学書（舎密開宗），歴史地理書など，数多くの翻訳著書を残しています．

　特筆すべきは日本に存在しなかった学術用語を翻訳から一歩踏み出して，適切な言葉を造ったことでしょう．例を挙げましょう．

　［化学用語］元素，金属，酸化，還元，中和，親和，

　　昇華，蒸留，蒸気，気化，凝固，溶解，飽和，試
　　薬，成分，容積
　[元素名] 酸素，水素，窒素，炭素，白金
　[化学名] 亜硫酸，塩酸，硫酸，蟻酸，尿酸，酸，酢
　　酸，青酸ほか
　[生物学用語] 細胞，属名
　[科学用語] 圧力，温度，結晶，沸騰，蒸気，分析，
　　成分，物質，法則，装置
　[その他] 琥珀，珈琲

私たちの頭にすっかり沁み込んでいるこれらの言葉が，宇
田川榕庵の造語だと知って驚かない人は少ないでしょう．
適当な日本語がない場合，彼は珈琲（コーヒー）と同じよ
うに諳謨尼亜（アンモニア），亜爾箇保児（アルコール）
などのように音訳しています．彼はコーヒーを飲んだこと
があるのでしょう．

　「科学」の起源は欧米から入っていたサイエンスだとす
でに書いてきました．近代のサイエンスは，天文や占星術
を論じていた中世から，16 世紀のルネサンスに至ってレ
オナルド・ダ・ヴィンチ（1452-1519）やニコラウス・コ
ペルニクス（1473-1543），そして 17 世紀にはガリレオ・
ガリレイ（1564-1642），18 世紀にはアイザック・ニュー
トン（1642-1727）らの仕事を経ています．

　サイエンス（science）という概念，そして，言葉が広
く使われるようになったのは，20 世紀以降だと言われて
います．ラテン語の scientia が語源で，ヨーロッパ系の言

語では，science（フランス語），ciencia（スペイン語），scienza（イタリア語）です．science を英英辞典で調べると，

> system of knowledge, systematic knowledge, state of knowing,

「知識（knowledge）の体系」，「体系化された知識」あるいは「知っている状態」と書かれていて，無知（ignorance）とか誤解（misunderstanding）が反意語になります．サイエンスは

- ・理解できる合理的な事実の上に築かれている知識の体系
- ・系統的，客観的に研究されている知識体系

と言ってよいでしょう．英和辞典では science の訳語として「学問，科学，理科，学術，自然科学」などが書かれています．

　ドイツ語には wissen（知る，理解する）と schaft（性質，状態，場所）からできた Wissenschaft という言葉があります．まさに知っている状態ですね．独和辞典には学問，芸術，科学，知識などと書かれています．同じインド・ヨーロッパ語族の言語を見ますと，ノルウェー語，スウェーデン語，オランダ語，デンマーク語などでいずれも日本語の「知る」と「戸棚」が一緒になって科学という言葉ができています．ノルウェー語では科学は vitenskap で前半の viten が知る，skap が戸棚の意味です．知識をしまっておく戸棚という表現は面白いですね．

　新しい研究結果が確認され，一般的知識になるまでの過程も含めて，サイエンスであると理解できます．

科学研究の基礎から実用まで

　真理を目指す基礎科学は役に立たない，税金の助成を受けているのだから，科学はもっと社会に貢献をするべきだ，という発言を聞くことがあります．このような考えには注意が必要です．応用や実用の研究だけでは科学の健全な進歩を妨げます．基礎がなくて応用や実用はありえないのです．基礎科学研究は地球や生命の疑問を解き明かし，やがて応用や実用の現場に貢献しています．

　19世紀フランスの科学者ルイ・パスツール（1822-1895）を例に挙げましょう．彼の幅広い業績は，基礎的な科学としては，炭素原子の正四面体構造，生命の自然発生説の否定，酸素のないところで生きる嫌気性菌の発見，酒石酸から光学異性体の発見などです．研究は応用や実用の分野に広がり，ワインが腐敗する原因と低温殺菌法，狂犬病のワクチン，蚕の感染症などに及びます．それぞれの現場で生じた難題を解決する過程で，新たな基礎研究が生まれています．

　パスツールから教えられるのは，基礎科学と応用・実用科学（技術）はまったく別ではなく，すぐ隣り合っていることです．古典的な例を挙げましたが，現代は基礎科学と実用の交流によって，社会が育っていると言えます．

　20世紀から21世紀の科学の大きな研究成果は，遺伝の

メカニズムを分子のレベルで語ることができるようになったことです．その研究の始まりは 1940〜60 年代の大腸菌を中心とする微生物の生理や遺伝の研究でした．私が研究を始めたのは 1960 年代でした．大学で卒論や学位論文に骨身を削っていたとき，高校時代の先生や同級生と久しぶりに会って研究の話になりました．「大腸菌を研究して，何の役に立つのかね」，「君の研究は趣味だね」と言われました．若い駆け出しの研究者だった私は，大腸菌がすべての生物のモデルである意味を一生懸命に説明しました．疑問を持った同級生たちも今や大腸菌から始まった研究の恩恵を受けています．

　大腸菌の研究は遺伝子の複製と機能の発現，細胞の構造や代謝，タンパク質／酵素の構造と反応のメカニズムなどを明らかにし，生物全体に及ぶ普遍的な原理，分子のレベルからの理解を目指す分子生物学に広がりました．ヒトの遺伝子の解明に，遺伝病やガンなど疾病のメカニズム，感染症などの医療に，また動植物の改良や育種の産業に貢献しています．

　分子生物学の進歩によって，目的とする遺伝子を取り出し（クローン化し），興味を持つタンパクを手にすることができるようになり，変異を導入することもできました．これによってタンパクの機能と役割を知り，高機能のものにする，反応のメカニズムを明らかにする，などができるようになりました．

　しかし，一般に遺伝子を改変するのは難しく時間がかか

り，不可能な場合もあります．これを克服したのが，E. M. Charpentier と J. Doudna が開発した **CRISPR-Cas9 と よばれるゲノム編集の技術**です．遺伝子 DNA の全配列を手 にしている利点を活用して，特定の DNA 配列を狙って切 断する，破壊（欠失）する，あるいは新しい配列を挿入す ることが，容易にできるようになりました．細胞を処理し て翌日には変異が確認できるという，この技術が科学の基 礎と応用に与えた影響は計り知れません．二人は 2020 年 にノーベル化学賞を受賞しています．新しい技術が生まれ た基礎には，大腸菌で見つかった DNA の繰り返し配列， 細菌がウイルス感染を防ぐ防御機構などの基礎研究があり ます．

ヒトのゲノム・プロジェクトは 30 億ドルの予算と 10 年と いう時間をかけて，2003 年にヒト遺伝子 DNA の全配列 （99％）が得られました．この進歩は他の生物の配列にま で及び，十数種の霊長類（ヒト，チンパンジーなど），動 物（線虫，フグ，マダイ，マウス，ショウジョウバエな ど），植物（シロイヌナズナ，シャジクモ，イネ，コムギ， ジャガイモ，トウモロコシなど）のゲノム DNA の全配列 が決定されています．なお，ゲノム（genome）は遺伝子 （gene）と染色体（chromosome）の下線部をつなげた言 葉で特定の生物の遺伝情報すべてを意味します．

配列が明らかになったおかげで，身近な家畜や動植物の 改良にゲノム編集技術が使われています．例えば，筋肉の 成長を抑制している遺伝子を壊すことによって身の厚いマ

ダイが開発されています．植物では，発芽時に天然毒素を
作らないジャガイモ，除草剤の影響を受けにくい作物，殺
虫作用のあるタンパクを組み入れたトウモロコシ，多収性
のイネ，血圧上昇を抑制するアミノ酸であるギャバ
（GABA）を通常の数倍も含むトマト，有用な脂肪酸であ
るオレイン酸を含む大豆などが開発されています．春にな
ると私たちを悩ます花粉ですが，これを作る遺伝子を破壊
した無花粉のスギも開発されています．

　現在では企業が，数百ドルで個人の全配列を決めるサー
ビスを始めています．個人の間でゲノムを比較すると 0.1
％ほどの違いがあると言われていますが，何千人，何万
人を比較することによって，顔の形や性格などヒトの個性
や多様性に結びつく部分，遺伝子の異常と病気の有無やか
かりやすさ，薬の効き方や副作用の個人差に関係する情報
も得ることができるでしょう．このような情報はテーラー
メード医療（personalized medicine），新薬の開発，ヒト
と環境との相互作用などの研究に結びつきます．

　どの生物に変異を導入するか，導入した生物をどうする
か，などの検討が必要です．十分な倫理的な考察の上で社
会的なコンセンサスが必要です．

　また，細菌の生育を阻害する化合物として発見された抗
生物質（antibiotics）は，感染症に対して効果のあるクス
リとなり，医療に貢献しています．そして抗生物質は遺伝
子の機能発現のメカニズムや，細胞の増殖の解析など広く
基礎科学にも貢献しています．このように，科学は基礎と

実用の間を行ったり来たりしながら，私たちを支えている
のです．

サイエンスの巾は広い

　現代ではサイエンス（科学）は身近なものになっていま
す．ビール製造のサイエンス（science of brewing beer）
はビールの科学と言われ，アルコール発酵中にできる味や
香り（呈味成分や香気成分）の研究は基礎科学としても興
味があります．製造している過程や装置の設計は化学工学
という応用科学です．さらに，次の単語の後に，science
をつけてみてください．

　　　plant, physical, medical, veterinary, clinical,
　　　political, social

植物，物理，医学，獣医，臨床，政治，社会など，いずれ
も科学として研究されています．植物科学は古典的な植物
学から脱皮したものです．

　別の言い方では「——の科学」という表現があります．
次の単語の前に，science of とつけてみてください．

　　　music, self-defense, criminology, boxing

音楽，防衛，犯罪でもサイエンスという視点から仕事がさ
れています．ボクシングのサイエンスというのを見つけ冗
談だろうと思うかもしれませんが，真面目な話です．自然
科学の成果を取り入れてボクシングのトレーニングも科学
になっています．

　初めてアメリカに行ったときに，スーパーマーケットや

ドラッグストアに新刊の『Science』誌が並べられていて，一般の幅広い人々に読まれているのを知って驚きました．AAAS（アメリカ科学振興協会）の出版している『Science』は『Nature』と並ぶ科学の分野で一流の国際的な学術誌であり，科学ジャーナリズムとしての役割もしています．アメリカではサイエンスが高水準の近寄り難いものではなく，身近な存在である印象を受けました．

3　科学の広がり

科学者が第一，科学はその次に

　19世紀半ばになって scientist（科学者）は欧米では人々の身近な存在になりました．英英辞典で調べると

　　　　scientific investigator（サイエンスを探求する人）

であり，その後にサイエンス・特に自然科学を学ぶ人と書かれています．翻訳されて「科学者」となりました．日本でも科学者は職業として社会に受け入れられています．国公私立の研究機関や大学だけではなく，企業を始めいろいろな機関で働いています．その数は小学校から高校に至る全教員の数に匹敵すると言われています．

　大きな研究室と最新式の機械，十分な予算があっても，優れた科学者がいなければ新しい成果は得られません．

　　　Scientist is first. Science is next.

　　　　「科学者が第一であって，科学は次である」

まさにその通りです．これはアメリカの国立衛生研究所

（NIH）のラル博士（Joseph Edward Rall, 1920-2008）の信条でした．幅広い視野と見識を持つラルは研究所長として多くの優れた科学者を採用し，研究所は医学・生物学に大きな貢献をしました．

　「科学者が第一」という視点は日本でも，大学や研究所だけではなく，行政や企業でもよりはっきりと考慮されるべきでしょう．科学者は「自由」な行動原理にしたがって，自分で考えて研究を進め，成果は学会の議論と批判を経て発表されます．知的活動を担う科学者は社会に対して，説明責任と倫理的な義務があります．

　日本学術会議は 1949 年に設立され，我が国の人文科学，社会科学，自然科学などの専門家の意見をまとめ，国内外に発信し，科学の理解を深めています．政治や権力が科学者の仕事に介入・監督をしては，科学の意味がありません．2013 年に学術会議の声明として「研究は社会とともにある」（科学者の行動規範 改訂版）が出されています．

　科学者は人類の健康と福祉，地球環境に貢献することを目指しており，権威や組織から独立し，自由な研究が保障されるべきです．また，科学者は過去の研究を尊重し，客観的な解釈の上で自らを評価します．同時に自然や科学を批判的に見ていくことが求められます．大阪人が言うように，「やってみなはれ」と科学者の自由に任せておくのが，望ましい姿だと思います．

　1995 年の世論調査によれば，日本では国民の約 50% が科学の価値と重要性を理解していました．さらに，2016

年には約 60％ が科学に関心があり，約 80％ が科学者の話
は信頼できると考えています．科学者は職業として社会に
受け入れられているのです．

疑いから生まれる想像力

　物理学者ファインマン（Richard P. Feynman, 1918-
1988）が書いています．

　　　・サイエンスの価値はたくさんあるが，最も重要なの
　　　　は疑う自由（freedom to doubt）が許されているこ
　　　　とである．
　　　・物理の研究に一番必要なものは想像力である．
つまり，疑いから生まれる想像力が，新しい仕事をしてい
く上で大切な武器だと語っています．科学における疑いも
含めて，自由が研究を深め，進歩に結びつきます．大学院
時代に受けた教育にも「疑う」ことがありました．学術誌
に発表された論文は鵜呑みせず考えながら読み，学会の講
演などは批判的に聞くことが求められました．研究室では
論文を紹介する定期的なセミナーがありましたが，論文に
書かれていることをそのままで紹介するのではなく，

　　　・報告しているどこが新しいのか
　　　・データは結論するのに必要十分か
　　　・著者の解釈は正しいか
と批判することが求められました．また，研究の成果を発
表するセミナーがあり，教授，教官，大学院生が対等に議
論する時間でした．

　私も研究室を主宰するようになって,「疑う自由」の教育を一つの中心にしました. この自由は誰も奪うことができません. 思いがけない発見, 権威ある研究者の発表に出会うと, 研究分野の流れ, 過去の論文, 自分の知識, 経験との整合性を考えます. 次に頭で思考実験をやってみて, 場合によっては実験をした後で, 初めて納得して受け入れます. 逆に, 仕事を批判されたときには謙虚に耳を傾けた上で反論する, あるいは受け入れることになります. 当然のことですが, 自分自身の発見や解釈にも批判的に接する姿勢が欠かせません.

　フランス・パスツール研究所では多くの研究者が分子生物学の先駆的研究をしていました. 同研究所の F. ジャコブと E. L. ウォルマの共著『細菌の性と遺伝』を読んだのは学部 4 年生の頃です. 難しくて何度も挫折しそうになりながら, どうにか最後までいきました. 遺伝現象を理解する基礎になりました. さらに, ジャック・モノー博士 (1910-1976) が 1972 年に出した一般人向けの著作, "Le Hasard et la Nécessité"(『偶然と必然』)には, 感銘を受けました. 冒頭に

　　「生物学が扱っているのは宇宙のごく片隅にある地球
　　　上の話ですが, 人と宇宙の関係を解き明かすのが科学
　　　であると考えると, **生物学は科学の中心になります.**」
と書かれており, 生物の不思議, 発生, 進化と話を進められています. 生物学は科学の中心という考え方は, 広く受け入れられ, 現在では工学, 宇宙, 金属の研究も生物に結

びついています．モノー博士の著書は研究をする私を支え
てくれました．

　大学院を修了する頃でしたが，こんな貴重な経験をしま
した．来日したモノー博士の講演を聞いた後で，10人ほ
どの若手研究者との昼食の会がありました．良い機会だと
思って，

　　「どうしたら，重要な仕事ができるでしょうか」

と尋ねました．大学院生の素朴な質問でしたが，博士は真
剣に答えてくれました．

　　「私は不思議なことに出会ったら，説明する仮説をま
　　ず考えます」

　　「そして，仮説を《反証しよう》として仕事を進めま
　　す」

という言葉が心に残りました．

　私たちは仕事をするときに「こういうことではないか」
と仮説を立てて，実証しようとする姿勢になります．しか
し，一歩下がって仮説を「疑い」「そんな筈はない」とい
う角度から進めることが，証明や発見につながるという考
えです．モノー博士は私が初めて話をしたノーベル賞受賞
者でした．

　「疑う自由」が許されるのは自然科学者だけではありま
せん．歴史学者の古川隆久教授は

　　「私がいつも学生に言っているのは《物事は疑って
　　かかれ》ということです」

と新聞紙上で述べています．

　歴史学者・考古学者が対象にするのは，残されている文献や資料の研究や解釈でしょう．絵画，遺跡／遺物，建物，伝説，気象や地形も歴史を考える資料になるのでしょう．ここで思い出すのが 2000 年に毎日新聞がスクープしたアマチュア考古学研究家による旧石器捏造事件です．事前に埋めておいた石器を自分で掘り出して，日本に存在しないと言われていた旧石器時代のものだと捏造したようです．1970 年代から捏造が行われていたそうで，恐らく多くの考古学者は疑っていつつ，万一を考えて疑い切れない難しさはあります．生物学上の捏造はもっと多く行われているかもしれません．捏造については第 3 章で触れます．

　第 1 章で幼児がつぶやいた自由な疑問を紹介しました．答えるのに難しいものでした．「疑う自由」を大人になってからも失いたくないものです．

引用した文献

1) 亀村五郎（1999）『新装版 幼児のつぶやきと成長』大月書店

2) 二井將光（2007）「どうして，ごきぶりはきたないの」生化学 79，411

3) 公益社団法人農林水産・食品産業技術振興協会ホームページ，多彩だった日本の昆虫食

4) 日本学術会議（2013）「声明・科学者の行動規範（改訂版）」

5) 佐藤文隆（2011）『職業としての科学』岩波新書

6) Richard P. Feynman (1997), The Pleasure of Finding Things Out, Helix Books Perseus Books, Cambridge Massachusetts,

7) J. Monod (1972), Le Hasard et la Nécessité（『偶然と必然』渡辺格・村上光彦訳）みすず書房（英訳あり）

8) 古川隆久 (2020)（聞き手, 桜井泉）「任命拒否　歴史家の危惧」「朝日新聞」2020 年 11 月 19 日

第2章　探究する毎日

1　研究との出会い

科学に目覚める

　高校と大学を経て自然科学を志し，大学院で研究を始めたところまでを振り返りましょう．自分の進む道を探して歩き出した頃です．

　私の在籍した都立西高校は文系と理系というクラス分けではなかったので，幅広く勉強できました．図書館にこもってヘルマン・ヘッセ（1877-1962）のほとんどの作品，ジョージ・ガモフ（1904-1968）の『不思議な国のトムキンス』，『生命の国のトムキンス』などを読みました．図書館にこもって授業をサボることもあったのですが，先生から叱られた記憶はありません．出席を取る先生もいましたが，いくつもの声を持っているのが自慢で，出席の代返をしてくれる親友の岩瀬時郎君（1940-2002）がいました．代返は勧められることではありませんが，貴重な時間をくれた彼には今でも感謝しています．おかげで幅広く勉強することができました．先生たちは何事もお見通しだったでしょう．

　岩瀬君と私はよく山を歩き，日帰りできる丹沢の沢登り
に凝っていました．短い沢ですが滝も多く楽しみました．
二人とも岩や石に興味を持っており，すべての沢に登って
地質調査をしようと話していました．高校時代から登山家
を目指していた彼は大学を山岳部で選び，学士山岳会で有
名な京都大学に入学し，勉強したのは経済学部でした．
6000メートル級のヒマラヤのインドラサン，カムチャッ
カ半島の山などに登り，素晴らしい雪山の写真を送ってく
れました．卒業後は八幡製鐵（現在の日本製鉄・九州製鉄
所）に入社し，企業人と登山家を上手に両立していまし
た．

　当時の西高では文系・理系ともに，化学と物理で大学受
験する学生が多かったので，生物の先生は力を抜いていた
のでしょうか，授業には興味が持てませんでした．自分で
勉強して問題を解いていける数学と物理が好きになりまし
た．英語は教師にペーパーバックをすすめられ，何冊も読
むことができ興味が湧きました．また英語講師をしておら
れた高倉忠博先生はNHKの外国語放送のアナウンサー
で，彼の非常に美しい発音に影響を受けました．このよう
な高校生活を送った私は，大学では理科系を選びました．

　1年間の浪人の後に入学した東京大学の教養学部では，
数学や物理の講義は面白かったのですが，生物学は分子生
物学が生まれる前の古典的なものでした．植物の組織・生
理や動物の分類・発生を中心に知識を勉強しました．1学
期にわたったカエルの解剖や植物生理の実験は，どちらか

と言うと義務的にやっていました．一方，社会学や思想史の講義には興味を持ちました．1週間に5時間あったドイツ語には悩まされましたが，いまだに簡単な文章は推定でき，後のドイツの旅行を楽しめました．半年で諦めたロシア語もモスクワの地下鉄ホームで記憶がよみがえったのは，嬉しいことでした．

　大学の良いところは，興味の湧く講義を聞いて，あとは**自分で自由に勉強できる**ことでした．アレクサンドル・オパーリン（1894-1980）の『地球上の生命の起原』やC. B. アンフィンゼン（1916-1995）の『進化の分子的基礎』などの名著に出会い，生命が分子の言葉や化学反応として考えられることを知り，生物への興味が猛然と湧いてきました．また，岩波書店で出していた『科学』という雑誌にもふれ，新しい分子生物学と生物物理学がまさに生まれていることを知りました．数学を専門にしたいという入学時の希望は大きく変わり，生物に関連した学問を専門とすることにしました．

　進学先を植物，動物，または高校時代から興味があった地質学（古生物学）にしようかと悩んでいたとき，近くに住んでおられた地質学科の久野久教授に相談しました．グランドキャニオンをはじめ，面白い地層のスライドを見せていただき，火山や古生物学の説明をされた後，

　「理学部の植物学科や動物学科だけが生物を研究しているのではない．いろいろな学部・学科の，《どこでどのように生物を研究しているか》もっとよく考えて

　　はどうだ」

という貴重な意見をもらいました．固定的な思い込みから判断しないようにというアドバイスでした．

　どこで，どのように生物を研究しているかを調べるために，動物学，植物学，農芸化学や林学の研究室などを次々と訪ねた後で，薬学部・有機化学の山田俊一教授の部屋を訪問しました．専門とされているアミノ酸の有機化学的な合成は，なぜ難しいかという話をまずうかがいました．その後で「創薬（クスリをつくる科学）」の研究は生命科学の中心に位置するものであり，有機化学，生物化学，物理化学の境界領域で総合的に展開するものであると説明され，さらに，何人かの教授の仕事を聞き感銘を受け，薬学部の製薬化学科に進学することを決めました．東京大学の持つシステムで，入学後に教養課程で改めてよく考えて自分の進む専門を決めるシステムは，現在でも素晴らしいと思います．

　3年生となり薬学部では基礎的な有機化学や分子生物学から製薬工業に及ぶ講義と実習があり，知的な満足感が得られました．しかし，有機化学，薬理学，生薬学，物理化学，化学工学などにはあまり興味が湧きません．微生物学と核酸の化学を対象にしている二つの研究室のどちらかで，卒論研究（実習）をする決心をしました．

　微生物学の研究室を主宰している水野博一教授（1919-2017）の熱のこもった講義は，科学の方法論，生物の多様性と普遍性からから始まって，遺伝子の発現，酵素の反応

とそのメカニズムへと続きました．当時は新しい分野だった分子生物学の知識と方法論をふんだんに取り入れたものでした．大腸菌を使った遺伝情報・発現調節の研究が第二次世界大戦の戦火のさなかに，ジャック・モノー博士らによってパリにあるパスツール研究所の地下で始められたという話には感激しました．

　水野教授の講義では**選択毒性**という概念も学びました．抗生物質は細菌に毒性があるがヒトにはない，だからクスリになるという論理は明快でした．例えばペニシリンは，細菌が細胞壁（細胞膜の外側にある）を作るのを特異的に阻害します．したがって，細菌の生育をとめますが，細胞壁がないヒトには毒性がありません．タンパクを作るメカニズムも細菌はヒトとは少し違いますから，細菌のメカニズムに作用する抗生物質があります．同様にがん細胞の生育は阻害するが，正常細胞に対しては毒性のない，がんのクスリの萌芽である化合物が見つかっています．選択毒性は化学物質がクスリになる前提です．

　教授の研究室を訪ねて研究に向かう考え方，指導方針などを聞き，所属している職員や大学院生にも会い，学部の4年生からここで研究を始める決心をしました．

探究を始める

　研究室を志望した4人の学部4年生を前にして，水野教授はホメオスタシス（homeostasis，生命の恒常性）について説明をしました．環境が変わっても生物（体内，細胞

内）の状態は一定であるという概念，これが研究の中心に
ありました．その後で，研究テーマに話が及びました．抗
生物質の作用機構，大腸菌の生育や生理，遺伝子の転写，
転写された mRNA（messenger RNA，第 3 章参照）の代
謝（生物の化学反応），がんの免疫，脂質の構造と機能・
免疫など 10 以上のテーマの中から何をしたいか，1 ヶ月
間ほど勉強した後で決めるようにと言われました．学生の
発想を育てるために，研究室は広い領域を対象にしていま
した．先輩と一緒に研究をするという体制ではなく，一人
ひとりが自分のテーマを持っていました．

　私が選んだのは大腸菌の mRNA の代謝に関わる酵素の
研究でした．DNA に書かれている遺伝情報は細胞の核で
読み取られて（転写され）mRNA となり，細胞質に運ば
れリボソーム（タンパク合成装置）で翻訳されタンパク質
になります（図 2-1）．この過程は DNA の複製とともに

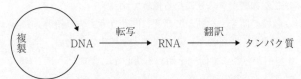

図 2-1　生物学のセントラルドグマ　DNA の遺伝情報の複製と発
現を示している．DNA の遺伝情報が RNA（mRNA）に転写さ
れて，タンパク質に翻訳され，DNA は二本鎖の 1 本づつが複
製され二つの 2 本鎖になる．生物のセントラルドグマ（基本原
理）と呼ばれる．

生物学のセントラルドグマ（central dogma）として，1958
年にクリック（F. H. C. Crick, 1916-2004）が提唱しまし
た．ドグマの元々の意味は宗教上の教義・教理ですが，提
唱されたのは生物の中心にある基本的な原理です．

　DNA の遺伝情報が転写され mRNA ができる過程は広
く研究されていましたが，代謝という視点は新しいと思っ
たのがテーマに選んだ理由です　大腸菌のタンパク合成装
置であるリボソームに結合している mRNA を取り出して
きて，代謝を検討したところ，二つの酵素によって分解さ
れるという結論になりました．この結果をオランダのエル
ゼビア社の出している国際的学術誌『Biochim. Biophys.
Acta』に発表し，修士論文を執筆しました．

　現在では，mRNA はワクチンとして医療に応用されて
います．新型コロナウイルス（Covid-19）に対するものと
しては，細胞に侵入するときに使われるスパイクとよばれ
るウイルス膜にあるタンパクの mRNA が使われていま
す．これが細胞内に取り込まれ，翻訳されたスパイクタン
パクに対する抗体ができます．この方法の良いところは
mRNA が細胞の核には入らないので，ヒトの遺伝情報を
変えることはありません．また，生きたウイルスをワクチ
ンとしていませんから，万一の発症の危険もありません．
しかし専門的には，何百億分の一の可能性で，mRNA か
ら DNA ができてしまうことが，まったくないとは言えま
せん．

　修士課程を終えて学位論文の仕事を始めました．細菌と

は異なり，動物細胞はもっと複雑ではないかと考えました．代謝に関わる酵素を推定し，反応する基質を作り，誰も研究していないのを確認したあとで，愚直にネズミの肝臓から酵素を探しました．教授の応援もあって仕事は進み，この酵素を取り出してきれいに精製し，特異性を明ら

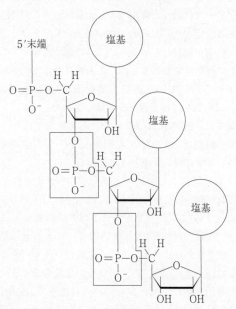

図 2-2　ホスホ・ジエステル結合　矢印で示した RNA にあるホスホ・ジエステル結合．同じ結合が DNA, NAD（還元力），ATP などに見られる．塩基は A, G, C, U（T）などを示す．

かにしたところ，思いがけない結果が得られました．それ
は数々のリン酸化合物のホスホ・ジエステル結合（図 2-
2）を切る新しい酵素でした．この結合は A, G, C, T な
どの RNA や DNA の塩基をつないでいます．補酵素
（NAD, NADP など）と呼ばれる還元に関わる化合物に
もある結合です．実際には RNA や DNA よりも補酵素の
ホスホジエステル結合をよく切る酵素でした．アメリカの
生化学・分子生物学会の論文誌『J. Biol. Chem.』に論文は
採択されました．

　日本生化学会で発表したところ，聞いておられた国立が
んセンターの杉村隆先生（1926-2020. 当時，生化学部長，
のちに総長）が酵素の特異性について質問され，翌日研究
室に訪ねて来られました．先生のグループが発見したヒス
トンを修飾する化合物（ポリ ADP リボース）に作用しな
いか，という議論になりました．共同研究に発展し，私の
見つけた酵素が，染色体を修飾しているポリ ADP リボー
スを分解することがわかりました．共同研究の結果は三つ
の論文として『J. Biol. Chem.』に採択されました．他の人
がやらない視点からの**ユニークな仕事**で，始めたときには
考えてもみなかった新しい方向に進展し，研究の面白さを
実感しました．私の見つけた酵素と同じものが現在では
300 種以上も発見され，一つの研究分野になっています．
学会の発表に興味を持たれた杉村先生との議論が生み出し
た成果でした．

　杉村先生の研究室では，がんの基礎研究，ADP リボー

スの研究に加えて，突然変異，酵母の呼吸など幅広く研究されており，後に私が研究室を主宰するようになったとき，勉強になりました．

人の論文から探究を始める

　私の仕事は大腸菌の mRNA の代謝（分解）が「動物（ネズミ）の肝臓ではどうなっているのだろうか」と始めた研究でしたが，思いがけない発見に至りました．一方，このような仕事の進め方ではなく，発表されている論文を沢山読んで，テーマを決めた先輩がいました．彼は大変に優秀で自分の興味を持つ分野の最新の発展を把握していました．彼の知識にはかないませんでした．ある論文が報告している結果に感銘して，この論文から考えられるテーマに沿えば面白い結果が出るはずだと仕事を始めました．ところが，研究を進めて数ヶ月ほどすると，同じ内容の論文が発表されました．そうなると頓挫するほかありません．次のテーマも似たような発想で考えましたが，結果は同じでした．他にも文献はよく勉強しているが，同様な理由でテーマを1年ごとに変えざるを得なくなった後輩もいました．

　当時は欧米から送られてくる学術誌を私たちが手にできたのは，出版されてから1ヶ月以上も経ってからでした．著者が発見してからデータをまとめ，論文を書き出版するまでの期間を考えると，私たちが著者の発見を知るのは，何ヶ月あるいは1年以上後でした．当たり前の話ですが，

論文が発表される頃には著者の研究ははるか先に進んでいるわけです．現在では論文はインターネットに発表されすぐに読めますが，これでも発表されている論文を踏まえて研究テーマを決めるのはやはり難しいでしょう．どうしても後れをとります，ヒトマネや後追いはダメです．指導教官としては，失敗を経験させるのも教育だったのでしょう．

前述の先輩は学位を取り，テキサス大学に留学しました．論文からのアプローチの難しさに気づき，独立して私立大学の薬学部に研究室を持ってからは動脈硬化に興味を持ち，そこから，コレステロールについて詳しい研究を進め，高い評価を受けました．彼の研究室からは多くの研究者が育ちました．上に紹介した後輩も国立大学の教授になりました．

私も勿論ですが，毎月送られてくる海外の学術誌に出ている論文には目を通し，興味あるものはきちんと読みます．しかし，自分の研究の舵取りとしては読みませんでした．

ウィスコンシンへ，逃げ出してコーネルへ

大学院を修了してから出身教室の助手をしつつ，細胞生物学や生物エネルギーの研究を目指していました．コーネル大学のレオン・ヘッペル（Leon Heppel, 1912-2010）教授の研究室への留学を考えていましたが，手紙での意思疎通に時間がかかり手違いがあり，2年先まで見送ることになりました．他に適切なところが見つからなかったとこ

ろ，ウィスコンシン大学がん研究所のミューラー教授（G.
C. Muller）教授から一緒に仕事をしたいので，研究室に
来ないかという手紙をもらいました．彼の出している論文
や「老化やがん」の総説に興味を持ったのが理由で，行く
ことに決めました．

　着任後ほどなく研究テーマを考えていたとき，教授は他
の大学の研究者の研究費（グラント）の申請書を私の所に
持ってきて，「この方向に沿って，仕事をするのはどうだ
ろう．いい仕事になると思うよ」と提案しました．彼に審
査を託されていた申請書でした．さらに，書かれている方
法や条件を調べてみるよう言われました．信じられず，驚
き呆れました．論文を読んでテーマを決めていた先輩の例
も思い出しましたが，これはもっとひどい．申請者が書い
たアイディアを盗むことになるので断りました．同じよう
なことが二度ほどありました．彼は私が何を不快に思うの
かわからないようでした．アメリカで研究室を持っている
大学の先輩が，研究費の申請書を書くときには盗まれるこ
とがあるので，書きすぎないように注意していると言って
いたのを思い出しました．

　このようなことがあった後も，教授とは議論を続け，細
胞分裂の前にリン酸化されるタンパクを見つけ，数ヶ月後
に研究室に加わったフォルカ（Volker Kinzel，後にドイ
ツ・がん研究所）と一緒に仕事を始めました．同じ部屋に
大学院生のウルフ（Ulf Rapp，後に NIH からヴルツブル
グ大学）も加わって親しくなりました．三人とも整頓が苦

手だったので，実験机や文机の上は雑然としていました．
ある日，私たちが帰ってから，ボスは大きな紙に，

　　　This room is a junk yard.（この部屋は廃品集積場）

と書いてドアの前に貼って，ワシントンに出張していきま
した．翌朝，研究室に来た三人は驚きました．たしかに整
理整頓はできていませんが，実験室の美観を問うより研究
室の主宰者であれば，もっと重要なことを指導するべきだ
と，科学者として疑問があり不快でした．ボスは「ドイツ
人と日本人が一緒の部屋になると碌なことはない」と言っ
たそうで三人で大笑いました．ボスには批判的になり，若
さもあって三人とも，1年ほどで逃げ出すことになりまし
た．

　こんなことになったのは総説を読んだだけで研究室を決
めたのが間違いだったのです．同じようなことは私の友人
も経験していました．彼の場合は研究テーマでボスと意見
が合わず9ヶ月ほどで別の研究室に移りました．留学の成
功体験をよく聞きますが，あまり語られない不幸な経験も
あります．留学先を決めるときにはそのときの事情や勢い
ではなく，ボスの研究姿勢を充分に調べてからにするのを
勧めます．私の経験のようなこともありますが，アメリカ
の博士研究員（postdoctoral fellow）の制度の良い点は，
ボスに不満や考え方に相違がある場合，研究室を替えるこ
とで解消できるということでしょう．改めて研究室の体制
と指導者のあり方を勉強しました．

　ドイツ人の友人ですが，ウルフは細胞周期の仕事をして

いました．体細胞が遺伝子 DNA を作る準備をし，DNA
を複製し，分裂に至る過程（細胞同期）は厳密に調節され
ており，生物学者の大きな疑問でした．ウルフは独立して
からはがん細胞の情報伝達，肺がんの性質とモデルなどの
仕事で，非常に高く評価されました．フォルカはタンパ
ク・リン酸化酵素の研究を続け，独立してからは，がん細
胞のリン酸化による調節機構を中心に仕事をしました．二
人は今でも親しい友人です．

　第二章では，研究に目覚めてから，テーマに出会うま
で，そして難しさを考えてきました．さらに独立して研究
室を持った頃までを振り返りましょう．

2　コーネルから研究室を主宰するまで

自由な雰囲気で科学を

　ウィスコンシンを離れ，落ち着いたのはニューヨーク
州・イサカのコーネル大学・生物化学・分子生物学部のレ
オン・ヘッペル（Leon A. Heppel, 1912-2020）教授の研
究室でした．レオンは酵素化学のパイオニアで私が大学院
の頃に出した論文を評価してくれていましたし，2年ほど
待つように言われていた状況に変更があって，気持ちよく
迎えられました．

　コーネル大学では伝統的に，自由な雰囲気の中で生物学
の議論が盛んに行われていました．サムナー（J. Sumner,

1887-1955）とホーレー（R. Holley, 1922-1933）からの
伝統が残っていました．サムナーは 1926 年にウレアーゼ
を結晶にしました．初めてのタンパクの結晶化です．ホー
レーは 1968 年にタンパク合成に関与する RNA の配列を
決めています．二人ともノーベル賞を受賞しました．ま
た，マクリントック（B. McClintock, 1902-1992）がトウ
モロコシの染色体の研究からトランスポゾンを発見してい
ます．この因子は染色体上を移動する動く遺伝子とされ，
遺伝子導入や変異などさまざまな生物で応用されるように
なりました．彼女は 1983 年にノーベル賞を受賞していま
す．

　私が博士研究員をしていた頃のコーネル大学には，エネ
ルギー代謝の研究者が多く，エフ・ラッカー（E. Racker,
1913-1991）教授が中心でした．ラッカーはウィーンの大
学から第二次大戦が始まってアメリカに亡命したユダヤ人
で，精神科医から転身した生化学者です．グルコース（ブ
ドウ糖）からエネルギー物質 ATP が作られるまでの過程
を中心に仕事をしていました．

　ラッカーやレオンを中心に，年配の教授が若い研究者を
育てるところを私は目撃したことになります．ATP は
Adenosine triphosphate（アデノシン三リン酸）の略称で
生物がエネルギーを必要とするときに使われる化合物で
す．人間社会で必要に応じて支払う通貨にたとえて生物の
エネルギー通貨とも呼ばれています．これから話題になる
化合物ですから，構造を示しておきましょう（図 2-3）．

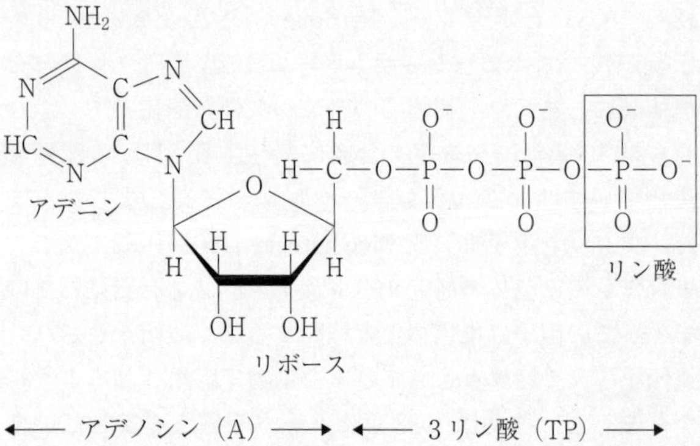

図 2-3　生物のエネルギー通貨　アデノシン三リン酸，Adenosine triphosphate の下線部から略して ATP と呼ばれる．ここにもホスホ・ジエステル結合がある．

コーネルに来て，レオンの仕事ぶりには驚きました．午前 6 時半には仕事を始め，スタッフの実験机に仕事に使う ice box を配ってから，テクニシャンや研究員を指導しながら，自分の実験をやっていました．午後 7 時ごろに家に帰り，夕食を終えて戻ってくることが多く，大変なハードワーカーでした．教授室にこもっているようなボスではありません，いつも研究室にいてスタッフと話をしていました．主に大腸菌が細胞膜を介してアミノ酸や糖を輸送し細胞内に取り入れるメカニズムを研究していました．私は博士研究員として，

　　・自分の選んだテーマは新しい発見に結びつくか

　　・どのような方法で解析を進めるか

などの問題意識を持ってレオンと話し合って，大腸菌の細胞内への輸送に使われるエネルギーの研究を始めました．膜においてエネルギー転換のはじめに関与する二つの酵素を，膜から取り出して精製することができ，これらの酵素は膜タンパクの理解と細胞内輸送の解析に貢献しました．また，大腸菌に圧力をかけてこわすと，内側が外になった小胞（細胞が反転した小胞）ができることを発見しました．この小胞は大腸菌がイオンなどを吐き出すメカニズムの研究に利用されました．そして，大腸菌のATP合成酵素の膜から突き出した部分を精製して，ATP合成を研究するための基礎を作りました．大きく分けて三つのテーマで，2年半の間に六つの論文を書くことができました．

　　驚いたのは，みんながよく議論することでした．面白い結果が出たときに研究室全員で朝から夕刻まで議論したこともあります．レオンは仕事全体をよく考えており，議論が好きでした．研究室にいないと思ったら，他の研究室スタッフと仕事の話をしていることが頻繁にありました．日本のような教授会（Faculty Meating）がありましたが，レオンはいつも欠席していました．

　　さらに，研究室の壁を取り払って，生物化学，分子生物学部のスタッフや大学院生がサンドウィッチを持って集まるランチセミナーが毎週土曜日にありました．出席は義務ではなく，誰が何を話すかが前もって決まっていない会で，教授から研究員／学生までが参加していました．誰も

がざっくばらんに意見を言う会でした．誰かが新しいデータを出すとその解釈を議論する，コーネル以外の研究室からの情報にもアンテナを広げ，最新の論文の紹介や批判をする，話のシーズは尽きません．

　「こんな研究を始めようと思うが，意見を聞きたい」という人もいました．学会から帰ってくると，あの実験はおかしい，解釈が間違っている，いや素晴らしい，など納得いくまで議論しました．教授よりも大学院生の意見の方が的を射ていることもありました．仕事に対する新しい考え方が出てきたり，共同研究が生まれたりしました．

　私にとっては研究室にいる時間のすべてが無性に楽しく，レオンより先に仕事を始めました．夕食には自宅に帰りましたがすぐ研究室に戻り，その日のうちには帰宅しませんでした．家族とは日曜日の午前中に食料品の買物に同行して，アメリカ生活を楽しみました．

　ウィスコンシン大学のミューラー研究室ではセミナーはなく，ましてや他の研究室の人の意見を聞くこともありませんでした．各研究室は部屋に鍵をかけており，機械を借りに行くこともなく，人間的な交流はほとんどありませんでした．コーネルのランチセミナーと研究室間の交流は当時のアメリカでも珍しいものでした．

　岡山大学に教授として赴任した当時，コーネルのランチセミナーと同じ趣旨から生物系の研究室が合同で「ざっくばらんに」意見を交換する会を始めました．ビールを飲みながらだったので，インフォーマルな楽しい会になりまし

た.

　　　「どうして，そんな研究をするの」，「この研究に意
　　　味があるの」
というところまで議論する会でした. 抵抗を感じる教授も
いましたが，彼らも慣れてきて議論に加わり面白い会にな
りました. 研究室の間で仕事の理解が深まり共同研究が生
まれ，学部の運営も円滑にいくようになりました. 生理化
学を専攻していた大森晋爾教授の提案で，「アゴラ
(Ἀγορά) の会」とよんでいました. 古代ギリシアの都市
国家にあった広い公共の場所，人が交流する広場です. ソ
クラテスもアゴラで哲学問答を交わしたと伝わっていま
す.

　発表された仕事をざっくばらんに批判する，受け止めて
反論する，納得するまで議論し新しい方向を考える. 科学
の研究だけではなく健全な社会のあるべき姿でしょう.

コーネルでの出会い

　コーネル時代に戻りますが，ラッカーの研究室で客員教
授として仕事をしていた香川靖雄さん（後に自治医大）と
知り合ったのは大きな財産になりました. 会ってすぐに,
　　　「ミッチェルの化学浸透圧説は正しいですよ」
と興奮して言われ，これはいかんと，慌てて勉強したのを
思い出します.

　ミッチェル (Peter D. Mitchell, 1920-1992) は代謝の研
究が中心だった生物学・生化学に膜の内側と外側という概

念を取り入れ，細胞内小器官ミトコンドリアの内外に作られる水素イオンの勾配（pH 差）が ATP 合成のエネルギーであるという説（化学浸透圧説）を出しました（図 2-4）．この説は生物エネルギーを考える上で画期的なものでしたが，実証するには多くの実験が必要でした．コーネルでは多くの研究者がこの説に興味を持っていました．はじめに，確からしいと示したのは植物生理学者アンドレ・ヤーゲンドルフ（André Jagendorf, 1926-2017）です．彼は葉緑体内にある ATP 合成をしているチラコイド小胞を用いて，光のないところで小胞の内外に pH の差を作ることによって ATP ができることを示しました．

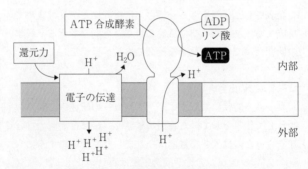

図 2-4　ミッチェルの化学浸透圧説　ATP が作られるメカニズムを化学浸透圧説で説明．電子伝達によって水素イオンがミトコンドリアの外部へ，大腸菌の外へ，あるいは葉緑体チラコイドの内部に輸送される．膜を介して内外にできた水素イオンの濃度差をエネルギーとして，ATP が合成される．

　アシスタント・プロフェッサーのピーター・ヒンケル（Peter Hinkle, 1941-2017）はミッチェルの研究室に行き研究員として人工的な膜を使い，膜を電子が移動すると水素イオン（H^+）の勾配ができることを示しました．ミッチェル説を支持する実験です．香川博士はラッカーと共同でミトコンドリアを研究し，日本に帰国後は高度好熱菌を用いて最終的に化学浸透圧説を証明しています．水素イオンの勾配は細胞が糖やアミノ酸を取り入れるエネルギーにもなります．私はピーターや香川先生と議論をし，化学浸透圧説の考え方，生体膜タンパクの取り扱いや界面活性剤について教えてもらいました．

　コーネルでは研究室の間に壁がなく，どの部屋も鍵はかけませんでした．のびのびと仕事ができました．隣の研究室に行って試薬を探すことも自由でしたし，機械も使えました．日常的に仕事の話をする人が多く，研究を通じてたくさんの親しい友人ができました．仕事が順調に進んでいる人も，壁にぶつかっている人もいましたが，議論する機会が多く助け合っていました．．

　すぐ隣はアシスタント・プロフェッサーのデーヴィッド（David B. Wilson, 1940-2017）の研究室でした．年齢も同じなので親しくなり，昼食を一緒にするようになりました．ハーバード大学で学部を終え，スタンフォード大学で生化学の大学院を修了した秀才です．私の仕事にも貴重な意見を言ってくれ，論文の英語表現に困っているときには助けてくれました．広い分野で次々に出される論文に的を

射た批判的な意見を言うので感心しました.

　彼は研究室のテーマとして大腸菌が糖を取り込むメカニ
ズムの研究を始めました. しかし, 研究費(グラント)が
なかなか取れません. 論文を分子生物学の学術誌に投稿す
ると,

　　　　"This paper is nonsense."
という意見だけで何のコメントもなく却下され, ひどい扱
いに彼は塞ぎ込んでいました. しかし, ヘッペル教授とテ
ーマが似すぎている, これでは同じ研究室と思われ研究費
は取れないと判断して, 研究方向を変える決心をしまし
た.

　彼は多くの人と議論をし, もう一つの興味である, 細菌
によるセルロースの代謝をプロジェクトとしました. 詳し
い文献の調査, たくさんの人との議論, 申請書の検討など
を経て, 新しいテーマで研究費がもらえることになりまし
た. コーネルの周囲の人たちが彼を育てようとする努力に
感心しました. 彼は, 細菌, カビ, 植物のセルロース分解
酵素を精製し性質を調べ, 構造を明らかにし, セルロース
の酵素化学を大きく発展させました. 高機能化した酵素は
セルロースから糖を作る過程に使われています. デーヴィ
ッドのもうひとつのテーマ, 金属の毒性学でも業績を挙
げ, コーネルの毒性研究センターを率いるようになりまし
た.

　ラッカー研究室のナターン(Nathan Nelson, 現・テル
アビブ大)は細胞内小器官であるミトコンドリアのエネル

ギー代謝に関係する膜タンパクを中心に研究していました．彼が手を出すと，どんな膜タンパクもきれいに取れてしまうと言われていました．膜に埋め込まれたタンパクを精製する名人で，私もいろいろと相談しました．ATP 合成酵素を研究する難しさについても議論しました．独立して彼の興味は細胞膜（形質膜）を横切る現象全般に広がり，光合成や神経伝達に及ぶ分野で成果を出しています．関連するタンパクはすべて精製し遺伝子も取ってくるという徹底的な研究でした．

　ほぼ 10 年後にナターンはニュージャージーのロッシュ分子生物学研究所で研究室を持ちました．彼との共同研究ではグリーン・バクテリアと呼ばれる光独立栄養細菌の ATP 合成酵素の遺伝子配列が葉緑体と似ていること，遺伝情報は大腸菌の中で機能することを明きらかにしました．光独立栄養細菌と藍藻は葉緑体の祖先であるという説を支持する結果でした．

　私の研究室で学位を取得した 3 人が彼の研究室に留学し，博士研究員として研鑽しました．彼らは帰国後いずれも国立大学の教授職に就きました．ナターンはイスラエルの生化学会長として現在も活躍しています．

ヘッペル研究室から独立へ

　ランチセミナーで研究の方向を議論し，**価値ある質問は何かと語り合った仲間**とは戦友のような友情が芽生えました．彼らはそれぞれ大学に職を得て独立し，コーネル大学

での研究に拘らないで，自分の興味による新しい仕事を始めました．同じことをやっていたのではコーネルの研究室には敵わないし，誰もが自分の考えでテーマを決め仕事をしたいと思っていました．友人の仕事との交流を簡単にまとめましょう．

　ヘッペル研究室の出身者の三人の研究者とは現在でも交流しています．バリー（Barry Rosen，現・フロリダ国際大学）とはコーネルで一緒に居たのは2週間ほどですが，最初に会ったときから意気投合しました．学会で会うたびに議論をしていました．彼はコーネルでは大腸菌がアミノ酸を取り込むメカニズムの研究をしましたが，興味は膜を横切るイオン輸送のメカニズムに移り，私と同じ頃に独立してメリーランド大学の医学部で研究室を主宰しました．仕事を見事に転換し，カルシウムイオンを過剰に細胞内に取り込まないように，大腸菌が吐き出すメカニズムの研究を始めました．

　私の確立した膜小胞が彼の仕事の役に立ちました．この膜小胞は本来の大腸菌とは逆で内側が外側になっていますから，大腸菌が外へ吐き出すメカニズムを小胞への取り込みとして測定できます．日米共同研究という科研費を受けて，バリーとは相互に研究室を訪問し共同研究することができました．ミトコンドリアからナトリウムイオンが排出されるメカニズム，大腸菌の膜が水素イオンに対して穴があくような変異を，一緒に検討することができました．

　バリーは現在ではヒ素の毒性に興味を持ち，細菌を中心

に細胞がヒ素イオンを吐き出す機構を研究し，土壌のヒ素濃度が高い地方に見られるヒトの中毒の解明にも貢献し世界的に評価されています．毒物であるカドミウムやアンチモニーイオンの吐き出しのメカニズムに研究を進めています．2021 年には ZOOM を使ってイオンの毒性について国際会議を主催し，私も参加しました．私とはまったく違う分野の仕事ですが，興味深く講演を聞きました．

　スタンレー（Stanley Dunn, 現・トロント大学）はカリフォルニア大学の大学院を終わってからコーネルの研究室に加わりました．指導を任された私は，膜にある酵素の面白さを議論しながら一緒に仕事をしました．大腸菌の膜にある ATP 合成酵素の表面の部分をバラバラにサブユニットにして，あらためて一緒にして表面部分を作るという仕事で，共著論文を発表しました．解体と再構成というアプローチです．彼は独立してからは酵素の膜部分と表面部分（の根元にある）をつなぐサブユニットの研究を何十年も続け，二つの部分の役割を明らかにしました．一つのタンパクをよくこれだけ根気良くやるものだと感心しています．

　他にも大学院生として研究室に加わったポール（Paul Sternweis, 現・テキサス大）の指導を任されました．ATP 合成酵素の膜部分と表面部分をつなぐのに必要なサブユニットの研究を一緒にし，論文も共著で出しました．彼は学位を取得したのちに，ギルマン（R. C. L. Guillemin, 1924-, 1977 年ノーベル賞受賞者）の研究室で博士研究員

をし，ホルモンによる情報伝達のメカニズムの研究を始めました．細胞内で情報伝達に関与するGタンパクを初めて発見し精製するという仕事をしています．独立してテキサス大学に研究室を持ち，ホルモンによる情報伝達のメカニズムの解明に大きな業績を挙げています．現在は分子薬理学部の部長（chairman）をしています．

　コーネル大学では，新しいモノの見方を考え，いろいろな分野で活躍する生涯の友人ができました．**研究者の交流と人脈の形成が科学の進歩につながること**を痛感しました．自分の研究に没頭できただけでなく，多くの刺激を受けたコーネル大学での3年間ほど，充実した楽しい時間はありませんでした．

　優れた友人の研究についてたくさん書いてきました．彼らの一人一人が興味を持ち，疑問をいだいて研究を進める，そのシーズがいかに多様であるか！　を感じ取ったことでしょう．つまり，科学者は自分の疑問に自信を持って人生をかけているということです．

研究室を主宰する

　さて，コーネルを離れてからに話を移しましょう．教授・Principal Investigator（PI）として研究室を主宰する立場になりました．大学院生の指導・教育，職員の将来にも関わることになり，自分の人生もかかってきます．責任を負いつつ，最も大切なのは，研究室の主たるテーマを立ち上げることでした．

　繰り返しになりますが，研究者が生物のメカニズムを明らかにしてきた過程で，

　　　　現象 → 概念 → 分子 → メカニズム

と進めて疑問を整理し，どの段階で解決するかを考えます．例えば，生物を例にすると，どの組織で，どの細胞で，関与する遺伝子やタンパクの役割や性質・構造などと段階に分けて考えます．教科書に書かれていることや関連する分野でわかっていることも整理します．

　私たちは高校や大学の講義では，明らかになっていることを教えられます．教科書，総説や解説を読んで，分かり難い，理解できないことがあれば「シメた」です．未解決なことを見つけたのかもしれません．同様に過去の文献には反応やメカニズムがきれいに書かれていますが，よく検討して「本当ですか」と問いかけると思いがけない発見につながり，隠れていた新しい現象や興味ある分子を見つけるかもしれません．さらに，知りたい現象やメカニズムは生命にとってどんな意味があるか，生物を理解するのに役立つか，研究する意味があるのか，面白い結果が得られるか，などを批判的に考えます．これが研究テーマの始まりです．

　話が前後しますが，アメリカ留学時代の同僚とは解決には何年もかかる研究について議論を交わしたものでした．

　　　That is a good question to ask.

よく使われる good という言葉には良い，優れた，役に立つ，など幅広い意味がありますから，英文として「それは

研究する価値がある良い質問です」となります．優れたテーマの表現は naïve question とも言いました．naïve は英英辞典によると，

　　　primitive, not having been exposed previously

と書かれていますから日本語では，

　　　「現在までに経験したことがない，根本的な疑問」

となります．研究テーマに焦点を絞っていくことは，最も楽しいことでありつつ，一番難しいことでもあります．私の場合は，生物を対象とする科学の遺伝現象やエネルギー変換など，自分の興味ある分野の中から，最も重要だと判断するテーマを選びました．当然，誰も研究していないことになりますから，簡単ではありませんでした．自分が「これをやるんだ！」と力を注げるテーマを選ぶことが大切です．

　岡山大学の研究室で立ち上げたテーマを具体的に書きましょう．コーネル大学で主に膜タンパクを研究した経験をふまえて，細胞がエネルギーを得ているメカニズムを明らかにしたいと思いました．遺伝子現象にも興味がありましたが，遺伝子の複製・発現やタンパクができる過程を明らかにする仕事は，日本や欧米の多くの研究室ですでに進められており，新しい発見が次々と報告されていました．とても新しい研究室が入り込んでいく余地はないと判断しました．

　伝統的に生物エネルギーの研究では，動物細胞のミトコンドリアを材料にしてメカニズムを明らかにしようとしま

した．材料は食肉処理場で入手するウシの心臓を使っていました．しかし，エネルギーは生物にとって普遍的なものですから，材料としては大腸菌の方がウシのミトコンドリアより優れていると，私たちは考えました．大腸菌は遺伝学的な手法を用いて生化学的な解析ができるし，変異を導入した一つの菌を 100 リットル以上という大きなスケールで培養でき，何百グラムという量を一日で手にすることができます．これによって変異を導入したタンパクを取り出して解析できます．当時の岡山大学の農学部にはこのような培養ができる装置があり，私たちの研究を支えてくれました．

　生物がエネルギーを必要とするときに用いる化学物質（ATP）（図 2-3）は，人間社会の通貨に喩えられますが，ATP が作られるメカニズムを明らかにすることが，私たちのプロジェクトの中心になりました．大腸菌を取り囲む形質膜にある ATP 合成酵素のサブユニット（構成タンパク）の性質を明らかにし，酵素の全サブユニットの遺伝子を得ることができました．これによって構成するタンパクのアミノ酸配列が明らかになるという，大きな発展をしました．金澤浩博士（後に大阪大・理）と行った研究です．この仕事は，葉緑体，好熱菌，ミトコンドリアなどの ATP 合成酵素の遺伝子を決める他のグループの研究にも波及しました．さらに，私たちが作った，通常の 5〜6 倍量の ATP 合成酵素を作る菌は，酵素の研究を進展させました．求めに応じて菌を分与することで，他のグループの

研究にも貢献しました.

　余談になりますが, 岡山大学で研究室を立ち上げたとき, 私が興味を持つテーマに研究室員のみんなをしばったわけではなく, 土屋友房助教授を中心に別のテーマに関わるグループもいました. 当時としては珍しい自由な研究体制でした. それは研究室としての能率に影響を与えたのは事実ですし, 成果を研究室全体で喜ぶのにブレーキがかかる雰囲気があって, 私にとって望む姿ではありませんでした. しかし, 研究室の運営で個人の自由をしばるのは, 決して良いことではないでしょう.

　7年後に私と協力者は大阪大学の産業科学研究所に移り, 研究室は大きく発展しました. 前田正知博士（のちに大阪大・薬）が加わり, 彼を中心にATPを作るメカニズムと, 反応に関与するアミノ酸を中心に研究を広げていきました. 得られた結果は動物細胞の細胞内器官であるミトコンドリアや, 植物の葉緑体に外挿できるものでした.

　私が疑問を持ったもう一つのテーマは, ATPがいかにして《使われるか》のメカニズムで, ATPを使って胃酸の分泌に関与する酵素や, 細胞内に酸性の環境を作る酵素を中心に研究を進めました. 多様な細胞におけるメカニズムの研究には主にマウスを使いました. 哺乳動物のモデルとして, マウスは遺伝学的に研究できますから, 生理学的な解析にも優れています. 研究の過程で出てくる疑問に応じて, ほぼ1000個の細胞からなる線虫も対象にしました. このようにして, 生物がATPを使うメカニズム, つまり

イオンを輸送する機構が研究室の中心のプロジェクトになりました．

　大阪大学の新しい研究室には，一緒に研究したいと希望する工学部や理学部出身の大学院生，博士研究員，教員が加わってくれました．彼らには過去から現在に至る仕事の内容を説明しました．岡山大学から継続して仕事をしている人たちの話を聞いてもらい，数ヶ月間の勉強の後に，「何をやりたいか」を聞き，十分に話し合って担当する研究テーマを決めていきました．

　私たちは不思議だと思うことに，新しい知識を求めて問いかけます．その過程には，1週間とか1ヶ月の短期間の仕事をいくつも組み立てながら，解決に向けて時には年月をかけて努力します．**日々の問題解決にもアイディアが必要**です．漫画家・手塚治虫が書いていますが，

　　「漫画の良し悪しは，最初に考えた《案》で決まる．
　　絵だけ描けてもアイディアが良くなければ，漫画とし
　　てのおもしろさがない」

含蓄ある言葉です．「技術に優れていても（実験は上手にできても），アイディアがないと仕事はできない」と言い換えると，まさに研究者に向けた文章になります．疑問から答えまでの橋渡しに必要なのがアイディアです．予想した答えが出るとほっとしますが，むしろ安心せずに注意深く見直し考える必要があります．答えが出なかったり，結果にインパクトがなかったりしたこともありました．こんなときには，根本から考え直すことになります．現象，遺

伝子，酵素タンパク質，化合物，などの疑問を整理します．優れた疑問であっても，聞き方を間違うと答えは出ません．解決のためのアイディアとして一般的には，

・測定条件／方法を変える
・対象とするタンパクの性質を調べる
・疑問に関係する遺伝子（タンパク）に突然変異を入れる
・まったく別の方向から考える

などが考えられます．

3　探究はノートに

仕事を記録し，再現性を確認

　どんな分野でも，仕事の目的と結果，調査や交渉の結果などを記録します．自然科学では，実験や観察の方法（装置，機械，操作や条件，測定法，用いる薬品など）を記録し，プロトコール（実験の計画書）にしたがって研究し，得られたデータを正確に記録します．データはそのままの形で残し，相対値のような加工したものだけを書いておくことはしません．ごく微量の混在しているものが結果に影響を与えることがありますから，使う薬品の製造番号（ロット番号），製造会社名も記録します．古い話ですが，業者の手違いで購入したリン酸の瓶に別の酸が入っているという，苦い経験をしたことがあります．現在そのようなミスはないでしょうが，どうしても結果に納得のいかない場合

はそこから調べる必要があるでしょう.

　一日の仕事を終えると,

　　・目的は達成されたか
　　・実験方法は間違いないか
　　・データから何が言えるか
　　・確認しなければいけないことがあるか
　　・次に何をするか

などを考えて, 記録します.

　仕事がまとまると日々の正確な記録を整理して報告します. これが他の研究者が再現できる確かな知識になるのです. 記録がないと証拠を失い, 何も証明できないことになります.

　報告された研究結果を論文に沿って実験をすると, 時と場所を問わず経験のある科学者ならば同じ結果を得られる, すなわち, 再現性が科学にとって基本です. 支えているのが, 日々の仕事の正確な記録です. ここで思い出すのは, コーネルの研究室です. 研究室の誰かが面白い発見をすると, 同僚が繰り返して実験を行って, 再現性を確認しました. そのような場合には追試してくれたメンバーの名前を論文に入れることもあります. 隣の研究室のラッカーの研究室には再現性を確認するのを専門とするテクニシャン（技術者）がいました. 研究室内から間違った論文を出さないために, お互いが議論し再現性を確かめるシステムは有意義なものでした. それでもラッカーの研究室で大学院生が不正をしました. 彼は細胞内の情報伝達に関する仕

事で，情報が伝わる過程を示したのですが，あまりに綺麗な図式にラッカーをはじめ同僚も騙されたのでしょう．

　私の研究室では実験の手順や操作を書き詳細に検討してから，仕事を始めるように指導していました．欧米ではプロトコールを書くと言っています．大阪大学の私の研究室で，ある人が実験をしているところに，別の研究室の職員が入って来てその細かいプロトコールを見て，「最近はもうプロトコールなんか書きませんよ」と断言しました．言われた人は驚いて私に相談に来ましたが，その職員はなんと私の研究室の出身で，妙な先輩ヅラをしたのです．彼の実験はノートを見ても，他の人が再現するのが難しいことで知られていました．プロトコールを書き細かい記録を残すように指導しましたが，なかなか身につかない人でした．

　的確なプロトコールと誰もが再現できる実験を，ノートに記録することは科学者のプライドです．

実験ノートの古典を見る

　科学者は仕事の再現性と継続性には神経質なぐらい注意しています．社会一般でも「仕事をしながら現場で記録し，保存すること」，これは常識でしょう．現場の記録がないことはあり得ないのです．例えば，アメリカの大統領記録法では，手紙，メモ，電子メールなど公務に関するあらゆる文書を保存することが義務付けられています．仕事の記録について述べている，私が大学院で指導を受けた水

野教授の文章を引用しましょう.

　　『ジョリオ・キュリー伝』のグラビアに, ピエール,
　マリー・キュリー夫妻の実験ノートが写されている.
　風袋の重さまで書いて秤量値が書かれているところに
　は, 頭の下る思いがする. しかしもっと感激的なの
　は, その紙は, 目に見えぬラジウムに汚染され, ラジ
　オオートグラハにとると, はっきり汚染されたピエー
　ルの指紋が見えるという事実である. 美しく書かれる
　か否かは, 問題ではない. むしろ実験室にちらかった
　薬品で, 汚されていた方が, 現場の香をつけて来てい
　る点, 好ましい位である. (水野傅一『我が教室員に
　与える』より引用)

　ジョリオ・キュリー (1900-1958) はラジウムの発見で
知られるマリー (1867-1934) とピエール (1859-1906) 夫
妻の助手を務め, 娘イレーヌと結婚し, 人工放射性同位元
素の合成に初めて成功しています. 彼の伝記にはキュリー
夫妻の仕事をした現場や実験ノートについて詳しく書かれ
ています.

　二人のノートは実験や観察を記録することを教える『古
典』です. 上の文章で下線を引きましたが「風袋の重さま
で」とあるのを, 科学者には失礼になりますが説明しま
す. 重さを量る (秤量する) ときには厳密な正確さが求め
られます. 容器の重さを量り, そこに薬品を入れた値から
容器の重さを引いたのでは, 薬品の正確な重さを量ったこ
とにはなりません. まず薬品が入った容器を秤量し, 次に

図2-5 キュリー夫妻のノートから 矢印のところから数字の記録が始まっている.

使用するために薬品をビーカーやフラスコなどに移し，その後で容器の重さを量ります．容器には僅かでも薬品が残っていると考えられますから，二つの秤量値の差が薬品の正確な重さになります．夫妻のノートには，差だけではなく容器を含む三つの数字が書かれています（図2-5の矢印）．二人は実験室でやったことのすべてをノートに記録していたのです．夫妻のノートを写真乾板（フィルム）の上に置くと放射線によって感光し，汚染されていることが，はっきりとわかります（図2-6）．まさに現場の記録です．

『古典』と言える夫妻のノートは，当時の物理学者が放射線の危険性を深く認識していなかったことを物語ってい

図2-6　ノートに残っている放射能　キュリー夫妻のノートの上にフィルムを載せ感光させたもので，放射性物質で汚染されたところが黒く検出されています．

ます．現場を反映した手書きノートはフランスの国立図書館に保存されていますが，現在も放射線を出し続けており，何世紀にもわたって鉛の箱に保管しなければいけない状態です．厳密に防御した上でないと手に取れません．

　夫妻はラジウムの生理作用に興味を持っていましたが，人体に対する危険性には考えが及ばなかったのです．自宅には放射線を出すトリウムやウランが置いてあり，キュリー夫人は夜になって放射性物質がぼんやりと光るのを美しいと感じていました．彼女は放射線の影響と考えられる再生不良性貧血が原因で死亡しています．

　現在では，放射性物質を使う実験は厳密に防御された実

験室で行う規則になっており，換気や廃棄物などが厳密に
管理されています．

　水野博一教授は，**記録は仕事の現場が反映されなければ
いけない**と強調し，大学院生のノートにネズミを解剖した
ときの血がついているのを見て「現場が反映されている」
と喜んでいました．

　実験中にデータをメモ用紙に書いておき，何時間も経っ
てからノートに整理して書き写す／清書する，これはいけ
ません．写し間違いも起こりますし，現場が反映されませ
ん．後に混乱する元になるので，面倒がらずにきちんと書
き留めるべきです．コーネルの研究室でデータを手拭紙に
書いていた学生がいましたが，教授が部屋に呼んで「仕事
はノートにそのままで記録しなければいけない」と説教し
ていたのを思い出します．現在で言うと紙面のデータを翌
日コンピュータに入力するのでは間違いが生じます．

　研究室を主宰してからは１ヶ月に数回，スタッフや大学
院生のノートを実験室で見せてもらい，

　　　・データをどのように整理しているのか
　　　・結果をどう考えているか
　　　・この数字は％だけど，実際に測定したデータはこ
　　　　こに書いてあるのか
　　　・次の実験はどうするか

などと議論しました．仕事がまとまる段階では頻繁に議論
をしました．研究をいかに整理し進めていくかは難しいこ
とで，その能力を身につけてもらうのが，研究者を育てる

上で大切です．前述のように細部をいい加減にとらえるのは大きな間違いを招きますが，些末にこだわってしまうと先に進めなくなります．

　さらに，研究室の全員が出席するセミナー形式の発表会を毎週行いました．自分の進めている研究についてデータを中心に発表して議論する機会は，2，3ヶ月に1回でした．

公的な仕事もデジタルに

　日々の記録について，水野教授の文章をもう少し引用しましょう．

　　科学（ここには，技術をも含める）は常に，社会活動の中に位置するものである．どんなに小さな発見でも，科学史の中の一つの礎石として，後世に残すべき性格をもつ．科学史の中に残すべき記録の，必須の条件は，記録のままに行って，再び同じ実験を行い得る再現性にある．したがって，再現性をはかり得ぬ記録は，記録としての意味をなさない．

　　しかし，完全な再現性ということは，不可能なことである．時間という次元はつねに流れてもどらぬものであるからである．空間的な再現性は，得られる．しかし，時間は，かけがえのないものである．科学実験と言わないでも，森羅万象の運行は，時間という不可逆な次元一本に，刻みつけられて行くものなのである．そういう意味では，一番大切に考えてほしいの

　は，時間についてである．（水野傳一「標準実験法」
　より引用）

はじめの一文「科学は常に，社会活動の中に位置するもの
である」は社会人にとって当然のことですが，大学院生で
あっても，文部科学省の支給する研究費を使って公的な場
所で仕事をしているという立場を，意識させるための指導
でした．社会活動を行っている人は，日々の仕事をいい加
減に記録してはいけないのです．

　研究過程で記録したノートは研究室という社会に帰属し
た**公的な財産**ですから，おろそかにはできません．特許出
願時には先に発明したことの証拠なり，係争においては証
拠能力を持ちます．さらに，次の世代へと受け継がれま
す．発表に至らなかった，成功しなかった仕事の記録も，
継承されて後に役立つ可能性があります．

　記録には，時間的・空間的な再現性が求められます．現
在では考え難いことですが，上の文章が書かれた時代は停
電の多い電圧の安定しない実験室で，しかもエアコンがな
かったのです．時間を定義するのは難しかったことが理解
できるでしょう．時間の内容は，朝か夜か，夏か冬か，な
どによって異なったので，二つの時刻の間として記録する
必要がありました．ノートの隅に天気，気温，湿度まで記
録しました．例えば，筋肉収縮の研究で冬に得られた結果
が，夏には再現されないようなことがあった時代でした．

　『科学の健全な発展のために──誠実な科学者の心得』
（2015 年 2 月）という本が日本学術振興会から出されてい

ます．研究者の倫理が中心に述べられていますが，責任あ
る研究活動，研究行為の責務，好ましくない研究行為，研
究費の適切な使用，研究倫理などの章が参考になります．

　仕事が再現されることの大切さを述べたとき，コーネル
大学の研究室の体制について書きましたが，コーネルでは
毎日の仕事を記録していくノートの下にカーボン紙（複写
用紙）を入れてコピーをとっていました．黒い顔料を片面
に塗った紙で，筆圧によって下のページにコピーされま
す．これを同僚に託して検討してもらうこともありました
し，研究室を去るときにはコピーをファイルして残してお
くのが伝統でした．ヘッペル研ではカーボン紙をはさみ直
して何回も使いましたが，カーボン紙が1枚おきに入って
いるノートを大学のブックストアでは売っていました．

　ここまで読まれて，カーボン紙は昭和時代もの，と大笑
いされるかもしれません．確かに古い話ですが，目指して
いたところは理解していただけるでしょう．**仕事をしてい
る過程を記録し保存する**，そして研究を継続していく，こ
れがカーボン紙のコピーの役割でした．同じ趣旨から，多
くの研究室で大学院生や研究者のノートを保存していま
す．

　現在ではデータをパソコン上に記録して，計算ソフトで
処理する，これが一つの方向となっています．しかし，実
験方法や考察はノートに書いておき，デジタルデータはコ
ンピュータに保存するというのは煩雑です．

　次の段階は日々の仕事をすべてコンピュータ上に記録し

ていくことでしょう．最近では製薬メーカーを始めとして，**研究の記録を電子化**しています．エルゼビア社の出している個人向けの無料ソフトを含めて，電子ラボノート，デジタル実験ノート（Electric laboratory-notebook, Digital lab notebook）がネット上にあり，伝統的な研究室のノートがデジタル版（digital version）になろうとしています．

　電子ノートには，伝統的な紙媒体にはない長所があります．目的から実験，得られたデータ，考察までを入力し，実験方法，装置や機械，薬品の瓶，実験操作，なども記録・保存できます．前日までに得たデータや考えたこととすぐに比較し，処理して各種のイラスト，図や表をコンピュータ上ですぐに作成することができます．図の縦軸や横軸を変える，画像の倍率や精度を検討する，統計処理するなど，いずれも簡単です．

　検索機能を使うことによって過去の論文や文献から図や表を取り出して参考にし，新しいデータを「どのように解釈するか，何が新しいか」などを考察できます．デジタル化することによって，実験ノートを研究室の中で共有することができます．議論しやすくなり，同僚が繰り返し実験し再現するのも簡単で，仕事の効率化につながります．研究者の間違いを防ぐことや不正の防止にもなり，リモートワークも簡単にできます．

　実験机に水や試薬がかからないよう安全にコンピュータを置きます．十分なスペースをとりにくい場合には，スマ

ホ（smart phone）や小型タブレット（例えば，iPad）を
利用します．スマホに備わっている検索機能やデータ処理
のソフトも使えます．データをコンピュータに送ってから
処理をするのは簡便です．

　いつの時代でも正確な記録を残すことは，研究の再現
性，継続性のために必要なことであり，科学者の教育に重
要です．

　デジタル化がもたらす進歩を述べてきましたが，大切な
のは，**研究室の構成員間の信頼関係**です．これは古くから言
われていますが，現代ではより大切になっています．デー
タの安全な保存，外部からの盗用や改変の防止，コピーの
保存（バックアップ），コンピュータ・ウイルスの感染防
止などです．

　最近では学生や大学院生が講義を聞きながらスマホをノ
ートとして使っています．講義の内容を記録する，同時
に，引用された文献を見て内容を確認したりしています．
別の論文から新しい結果に疑問を持つこともあります．何
冊もノートを持ち歩く必要もなく，講義が理解しやすくな
るなどの利点があります．能動的に参加している学生は眠
くならないし，教授も緊張感を持って講義できるでしょ
う．ある教授が学生に従来のようにノートをとるよう指示
したところ，「先生もパソコンを使わないで板書してくだ
さい」と言われたと笑っていました．最も重要なことは板
書して強調するのもよいでしょう．パンデミックが始まっ
てから，パソコン，スマホ，タブレットなどを使ったオン

ライン授業が行われており，学生の勉強法は確実に進化しています

　次に得られたデータの処理や評価について考えます．

4　結果を吟味・考察する

特有な現象か，新しい化合物か

　不思議に思うことを取り上げて研究を進め，再現性ある結果を得るところまでを考えてきました．得られたデータ，化合物やタンパクの性質，観察した現象を詳しく調べて，過去の知見（文献）を参照し，特有な性質を持っているかを結論します．英語の specificity を翻訳した**特異性**と呼ばれる性質です．広辞苑には「事物にそなわっている特殊な性質」と書かれていますが，「特有な性質」といった方が良いでしょう．特異的な（specific）という表現は，形容詞ですべての分野の研究で使われています．

　動物・植物には特異性が満ちています．ヒトに限らず動物には，肝臓，消化器，脳などの臓器があり，植物には葉や茎，根があり，それぞれの機能に応じた特有な細胞があります．細胞の内部には遺伝子が保管されている核があり，ミトコンドリアや葉緑体などの小器官，形質膜（細胞膜）があり，遺伝子の複製，エネルギー産生，光合成，環境からきた情報の処理と伝達，運動などの機能を果たすために**特異的なタンパク質**があります．

　タンパク質にはいろいろな酵素がありますが，触媒する

反応や性質，局在する場所（組織や細胞，細胞内の小器官）はそれぞれ異なります．さらに同じ反応を触媒する酵素でも，一つ一つの性質が違い，酵素の特異性（反応特異性）と言われています．例えば，タンパク質のアミノ酸の間をつないでいる結合（ペプチド結合）を切断する酵素（プロテアーゼ）（図2-7）はDNAや多糖類は切断しません．ヒトの唾液にはカテプシン，胃液にはペプシン，小腸にはトリプシンやキモトリプシンなどとよばれる異なる特異性を持つプロテアーゼが分泌されます．反応する条件，どのアミノ酸の隣のペプチド結合を切るかなど，性質は大

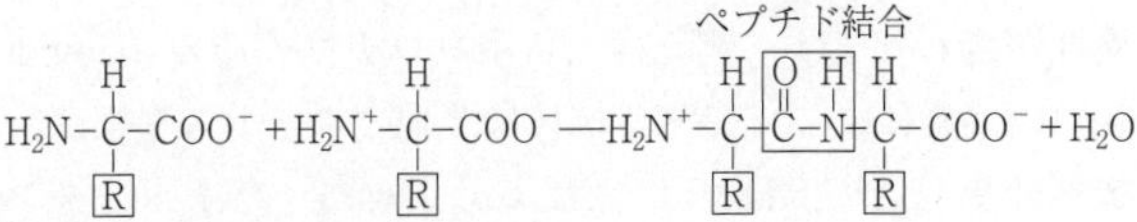

$$H_2N-\overset{\overset{H}{|}}{\underset{\underset{R}{|}}{C}}-COO^- + H_2N^+-\overset{\overset{H}{|}}{\underset{\underset{R}{|}}{C}}-COO^- \longrightarrow H_2N^+-\overset{\overset{H}{|}}{\underset{\underset{R}{|}}{C}}-\boxed{\overset{\overset{O}{\|}}{C}-\overset{\overset{H}{|}}{N}}-\overset{\overset{H}{|}}{\underset{\underset{R}{|}}{C}}-COO^- + H_2O$$

ペプチド結合

図2-7　ペプチド結合

(1) ペプチド結合の形成．二つのアミノ酸の一方はカルボキシル基（COOH）から水素と酸素を失い，もう一方はアミノ基（NH₂）から水素を失い，この反応により，ペプチド結合ができます．Rはアミノ酸によって異なります．

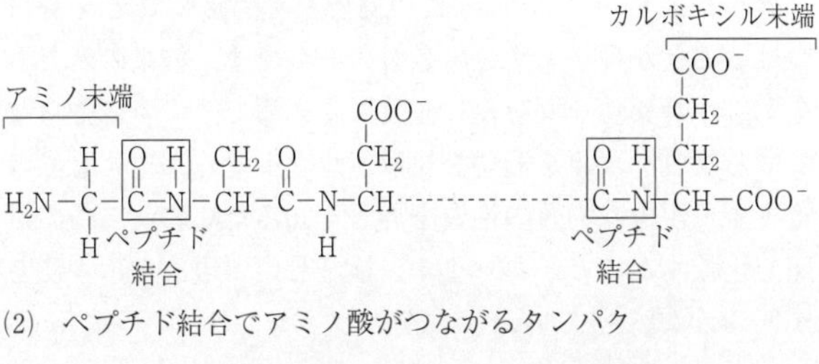

(2) ペプチド結合でアミノ酸がつながるタンパク

きく異なります.

　生物によって酵素反応の条件も変わります. 私たちの体内にある酵素は37℃で最もよく反応しますから, 試験管の中に取り出して45℃以上になるとほとんどが壊れてしまいます. ところが温泉に生育している高度好熱菌の持つ酵素は100℃にしても壊れないものがほとんどです.

　細菌やウイルスの感染によって, 菌の細胞膜のタンパクやウイルスを包んでいる外側のタンパクが抗原となり, 私たちの体には特異性のある抗体（免疫反応をつかさどる）ができます. 抗体は抗原に結合しますから, 感染を防御するメカニズムとなります. 抗原によって, できる抗体の特異性が変わります, 例えば, 新型コロナウイルス（Covid-19）の感染によってできる抗体は, 他のウイルスや細菌, 突然変異したCovid-19には反応しません. ウイルスタンパクや対応するmRNAなどのワクチンによってできる抗体についても, 同じことが言えます.

《対照》を考える, 基礎からクスリまで

　実験や観察をするうえで, 《対照》を考えることを身につけることが理科系学生の教育の一つです. 結果の新しさを示し, 特異性を明らかにしていく過程で, すでに知られている物質や現象を適切な対照（コントロール）として考えます. 現象や物質の性質を詳しく知るために, 二つの対照を比較することがあります. 検証したい現象を示すことが明らかになっているポジティブ・コントロール（posi-

tive control）と，示さないネガティブ・コントロール
（negative control）です．二つのコントロールは実験系に
問題がないことを示します．設定できないこともあります
が，例を挙げて考えましょう．

　新しい動物細胞の最適な培養条件を知るためには　pH，
塩濃度，血清の濃度，炭酸ガスの分圧，成長因子，植えつ
ぎの条件，培養する温度などを一つ一つ検討します，すで
に知られている細胞の条件が対照になります．このように
配慮して検討すると，ヒトの細胞の培養温度は一般に 34
～37℃で，昆虫の細胞では 26～27℃のように条件が決ま
ります．

　このようなコントロールもあります．新しいタンパク質
の分子量を簡便に知るための電気的な方法です．界面活性
剤を加えて一定の形になったタンパク質の電気的な移動距
離は分子量と反比例するので，すでに分子量が決められて
いるもの複数をコントロールとし，移動距離を横軸に／分
子量の対数を縦軸としてグラフを描くと直線になります．
このグラフを使って分子量が不明のタンパクの移動距離か
ら分子量を推定することができます．

　コロナウイルスのパンデミック以来，微量の遺伝子
DNA の断片を増幅して解析する PCR 法（Polymerase
Chain Reaction）が広く使われています．方法の確立には
たくさんのコントロール実験が必要でした．用いる試験管
や精製水，酵素や試薬，温度などの反応条件，どの程度ま
で増幅するか，などが詳しく検討されました．

　毎日報告されるデータから，感染者が増えた，減少した
のはわかりますが，どのような人を対象にしたのか，何人
を調べた上の感染者数か，などが発表されていません．こ
れでは**情報として限界**があります．

　一般に測定値にどれだけ誤差があるかを統計的に検討し
たうえで，結論しなければいけません．何回か測定しデー
タの平均値をとり，標準偏差などを示した上で，差がある
かどうか結論します．現在では一般的な統計処理はほとん
どのコンピュータについているソフトウェア，例えばエク
セル（Microsoft Excel）などを使って簡単にできます．

　薬の開発では適切なコントロールが必要です．新しい化
合物の作用を実証するためにも，二つのコントロールを取
りながら考えます．動物実験を重ねてヒトの医薬品・医療
機器となる可能性があると認められると，人に対する治験
（臨床実験）になります．厚生労働省から医薬品として，
承認を得るには必要です．治療薬の候補になる化合物の有
効性，毒性，副作用などを調べます．私たちが保険診療で
受けることができる標準医療を目指しています．

　基本的には一つのグループに治療薬の候補を投与し，も
う一方にはネガティブコントロールとして**偽薬**を与えて検
討します．偽薬はプラセボ（placebo）と呼ばれ，効果の
ないことが実証されている化合物です．臨床実験中には何
が偽薬か，治療薬の候補かは医師も投与される人も知りま
せん．

　対照を考えることは，細胞，酵素やタンパクなどの研究

においても必要です．酵素反応は酸性度や塩濃度，温度などの影響を受けます．酸性度の影響を検討するときには，他の条件は同じにして pH のみを酸性からアルカリ性まで系統的に変え反応を検討します．

間違いを恐れずに

仕事上の大成功と失敗は野球で言えば，三振かホームランかに当たるでしょう．有名なベーブ・ルースの記録を見ましょう．彼はホームランを 714 本打ちましたが，1330 回も三振しました．ホームランが多かったのは三振を恐れてはいなかったからでしょう．この他に安打を 2873 本も打ち，チームの勝利に貢献しています．

じっくりと考えて研究を始めても，なかなかホームランのような成果にはなりません．しかし，三振を恐れずに打席に立てばよいのです．ホームランでなくとも安打になる結果が得られれば，進歩につながります．結果は早くわかった方がよいので，ハードワークがどうしても必要になります．

私たちは間違うことがあります．よくあることですが，小さなうっかりミスを恐れては発見に辿り着けないと思います．うっかりミスではありませんが，誤差の中にも見逃せないものがあります．

例えば，DNA の遺伝情報は A，G，C，T の塩基が何千，何万と並んだものです．コンピュータソフトのない初めの頃は，1000 塩基対ずつ決めていきデータを読み記録

するのですが，二人で読み合わせても間違うことがありました．例えば，AであるべきところをGと間違うと，遺伝暗号が変わってしまいます．暗号ですからコンマやピリオッドもアルファベットと同じで，一つ違っても大変なことになります．英語の文章で考えましょう．例えば，私たちは食事で「さあ，食べましょう」とお祖父さんを誘ったとします．

　　　Let's eat, grandpa.

ところが eat の後にあるコンマがないと，動詞の目的語がgrandpa になりますから，「さあ，お祖父さんを食べよう」となります．うっかりミス，英語では honest mistake と呼ばれていますが，「正直でも」大変なことになる例です．しかし，恐れては仕事になりません．

　honest mistake という言葉があるからには，そうでない例もあるということになります．《不正行為》や《捏造》は決して許されず，研究者としてのすべてを失う行為となります．

　ヒトの染色体 DNA は約 30 億 5000 万の塩基が並んだ配列が報告されていますが，誤差は 0.3% あると言われています（2021 年 9 月現在）．この誤差は決して小さいものではなく，0.3% に本質的なものが潜んでいる可能性があります．したがって，上のコンマ一つのミスが起きることは十分にあります．それぞれの研究テーマに沿って詳しい検討は現在でも必要でしょう．また，ヒトの DNA 配列はすべて決まったように思われていますが，まだ Y 染色体の

配列は決まっていません.

「ゼロ」にも誤差が

学校で習った数学の影響でしょうか,「ゼロ」と言われると私たちは「まったくない」と考えがちです.健康診断で検査結果が陰性と言われると,誰もがほっとします.しかし,測定には誤差がありますから,本当に「ゼロ」と結論するのは容易ではありません.例えば,有効数字2桁(3桁目を四捨五入)で得られた1.1というデータは,測定結果が1.05から1.14の間だったことを思い出してください.同じ条件でゼロを考えるときには,有効数字2桁では測定値は0.00～0.04であると考えなければいけません.

検出限界をもう少し考えましょう.例えば,0.1 mlの培養液に大腸菌が2匹いたとします.これを0.05 mlずつ2枚のスライドグラスにとり顕微鏡で隅から隅まで見て探し,幸い2匹を見つけたとしても3匹以上はいなかったとは断定できません.顕微鏡に慣れない人は見つけられずに,「菌はいない」と結論するかもしれません.これを解決するには0.1 mlを全部培養するのがよいでしょう.栄養を十分に入れた固形の培地では,大腸菌は約30分で1回分裂して一晩(12時間)で1000万匹以上になり,1匹から目で見える一つの集落(コロニー)が形成されます.この方法で二つのコロニーが検出されると,2匹いたとわかります.しかし,これも統計的な数字で,どうしても操作からの誤差が入りますから,「おそらく2匹いた」とい

う結論になります.

　それでは，100 ml の水に細菌が2匹いるのを検出する
のはどうでしょうか. 顕微鏡では1回に見ることができる
のが～0.05 ml ですから，100 ml を見るのは無理です. 何
らかの方法で 0.1 ml にまで濃縮し，上と同じように培養
すれば2匹とわかるでしょう. しかし，100 ml の水を濃
縮する操作には大きな誤差が入ります.

　このように測定と操作によって誤差が入りますから「ゼ
ロ」の判断は難しく，限界があります.

　自然科学の分野で疑問を解決していくことを考えました
が，**非実験系の学問**とされる社会科学や人文科学の分野は
どうでしょうか. 生活の現場における人間が対象になり，
取材，観察，調査をすることになります. 自然科学と同じ
ように，対照や特異性を考慮します. 個別事例を観察し全
体を把握することが多いのですが，どれだけのサンプルを
検討したかが，制約になります. 客観性を十分保証しない
といけないでしょう. 都合の良い文献や資料，一方的な意
見だけを基にした主張には説得力がありません，正確で客
観的・網羅的な調査でなければいけないでしょう. マスメ
ディアにおける記事や専門家と称する人の発言を聞くと，
どこまで客観的にデータを集めているのか，聞きたくなる
ことがよくあります. 記事や発言を支持する裏付けが明ら
かにされているとホッとします.

　対照や特異性を調べることは古墳や土偶など考古学では
可能でしょう. 年代，地域，などそれぞれに特異性がある

でしょう．心理学，教育学，社会学などでは実験をすることもできるでしょう．

　ゴキブリが汚いか，幼児が提起した疑問に答えるために，ネットを中心に調査して答える例を第1章で考えました．汚いのをきれいにして，食べられるかという疑問になり，昆虫食の可能性などを考えました．これは文系の科学のアプローチにもつながりませんか．問題をさらに深めていき，昆虫食の起源と歴史など調査すると，興味深い結果が得られるでしょう．

引用した文献

1) A. I. オパーリン（1958）『地球上の生命の起原』（石本真訳）岩波書店

2) C. B. アンフィンゼン（1960）『進化の分子的基礎』（長野敬訳）白水社

3) 二井將光（2017）「疑問からアイディアへ」生化学 89，1.

4) 手塚治虫（1996）『マンガの描き方，似顔絵から長編まで』光文社

5) 水野傳一（1966）『我が教室員に与える』，「標準実験法《原記録について》」

6) M. シャスコリスカヤ（1961）『ジョリオ・キュリー伝』（高倉太郎訳）理論社

第3章　研究を読む

1　論文に出会う

　実験や観察を通じて，自然に質問し答えを聞く仕事をしている科学者にとって，関連する研究や興味を持つ分野の情報を知ることは大切です．また，論文やレポートを読むことは「執筆する」ことにつながります．

　研究を書いて報告するのは 17 世紀後半に始まり，イギリスとフランスで今から 300 年ほど前に学術論文誌ができました．著者が短い報告をレター（Letter）という形で編集者に送り，審査を経て掲載されたようです．

　やがて，結果に加えて方法や考察も書くようになりました．19 世紀後半には，仮説／実験／考察（Theory／Experiments／Discussion）のような形式になり，20 世紀初めには，論文は Introduction, Methods, Results, and Discussion（イントロダクション，方法，結果，考察），略して IMRD という順序が一般に定着しました．これは「疑問に出会い，方法を決め，探究し新しい発見をし，解釈を考える」という仕事を進めていく過程を反映しています．一般には IMRAD として解説されてきましたが，ここで

は A（and）を省いて IMRD とします

　IMRD にタイトル（題名）と要旨が加わり，現在の形が定着しました．この形式になった論文は，米国科学アカデミー（National Academy of Sciences）の紀要『Proc. Natl. Acad. Sci. USA』では A4 で 6 ページほど，アメリカ生化学会・分子生物学会の出している学術誌『J. Biol. Chem.』では 10 ページ前後になっています．『Nature』誌や『Science』誌（AAAS，米国科学振興協会）ではセクションには分けていない論文もありますが，内容的には IMRD の順序で執筆されています．いずれも，30 分で読みきれるものは少ないでしょう．

　上に挙げたような主要な論文誌は 1 週間に 1 冊の頻度で出版されます．目次が E メールで送られてくると，私はさっと読むのを楽しみにしています．自分が研究している分野ではなくとも，科学の大きな進歩を知るのは楽しいことです．

　論文の数は増えており，学会で発表された研究の 40% ほどは論文として発表されていると言われています．論文誌の数も増え，バイオメディカル領域だけでも 2 万はあるとも推定されています．情報の洪水の中で，読むか，読まないか，取捨選択を迫られます．すべての学術誌の目次を見るのは不可能です．時間を有効に使うためキーワードを登録しておくと，関連の論文を知らせてくれるサービスがあります．研究している酵素やタンパク，現象，加えて同じ分野で業績を挙げている研究者の名前がキーワードにな

ります．送られてきたリストから，さらに取捨選択しながら，読んでいくことになります．

　自分の関連する分野の論文のタイトル，要旨や初めの部分を少し読んで，イラスト（図と表）を見て，「全体を詳しく読もう」と思ったら，Pdf（Portable document file）を入手して，読むべき論文としてファイルし，できるだけ早く詳しく検討します．Pdf は実際に印刷された論文として保存することができます．すぐに読もうとは思わない論文でも，

- ・興味ある現象や化合物を報告している
- ・論旨の進め方，強調していることに興味がある
- ・読んでみると，自分の分野で論文の書き方が見えてくる

などと判断した場合には Pdf を入手して別のファイルに保存します．

　自分の研究分野であっても，ほとんどの場合はタイトルと著者を見るだけで，全体を読む必要のある論文は多くはないでしょう．しかし「これはすぐに読む必要はないが，面白そうだ」，「いつか役に立つかもしれない」と思ったら，著者とタイトル，論文誌名，要旨などをファイルしておきます．こうしておけば，論文は必要なときにネットですぐ手に入れられます．

2　DNA の構造を知る

　実際に二つの論文を読みましょう．短い論文ですからセクションに区切られていませんが，IMRD の順序で執筆されています．

二重ラセン

　　Molecular Structure of Nucleic Acid: A Structure for
　　Deoxyribose Nucleic Acid

ワトソンとクリック（J. D. Watson and F. H. C. Crick）の論文のタイトルです．ケンブリッジにある Medical Research Council（MRC，英国医学研究審議会）に所属した二人が英国の『Nature』誌に投稿し，重要性が理解されて3週間ほどで出版されました（1953 年 4 月 25 日号）．タイトルは翻訳すると「核酸の分子構造：デオキシリボ核酸（DNA）の構造」となり，論文の内容を的確に示しています．たった1ページですが，普遍的な結果を発表した科学の論文として歴史に残りました．

　報告した DNA の立体構造は，四つの塩基 A，G，C，T のつながったラセン状の DNA の構造です．Nucleic Acid（核酸），略して NA（下線）は DNA（deoxyribose nucleic acid）や RNA（ribonucleic acid）の化学名です（下線部は略語に対応）．DNA の分子構造がイントロダクションからディスカッションまで簡潔に書かれています．これは読まなければいけない，と多くの人が思ったでしょ

う.

　　We wish to suggest a structure for the salt of deoxy-
ribose nucleic acid. This structure has novel features
which are of considerable biological interest.

We wish から始まる文章とその次を訳すと

　　「私たちは DNA の構造を示したい. この構造は生物
　　学的に極めて興味がある新しい特徴を持っている」

少し気取った文章ですが, 著者の自信と意気込みを感じま
す. 論文の内容と生物学的な価値を要約したものです. 続
いて過去に発表された研究を批判し, すでに発表されてい
た DNA の立体構造は間違いであることを指摘していま
す. ここまでが, 問題提起でありイントロダクションで
す.

　次のパラグラフで, 二つの DNA の鎖が同じ軸で右回り
の二重ラセン (double helix) を形成する立体構造 (二重鎖
構造) を提案しています (図 3-1). ラセンを形成する二
つの鎖には, 塩基が内側にあり A と T, G と C が水素結
合というゆるい結合を形成し, 図では二重鎖の一つの鎖が
ACTTCAG……という配列をしていますが, もう一方の
鎖は TGAAGTC……となります. 二つの鎖は, 相補的な
(complementary) 構造をしていると結論しています.

　ディスカッションでは, ワトソンとクリックの構造は同
じ号の『Nature』誌に掲載されたフランクリン (R.
Franklin, 1920-1958) と, ウィルキンス (M. H. F.
Wilkins, 1916-2004) による X 線回折像とシャルガフ (E.

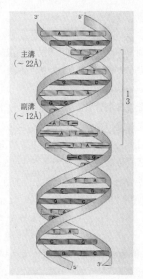

図 3-1 二重鎖 DNA のラセン構造 DNA の鎖はラセン構造を作り,二つの鎖は A と T および G と C が形成する水素結合でつながっている. 二重ラセン (double helix) ともよばれる.

Chargaff, 1905-2002) がすでに見出した,A と T そして G と C の二つの塩基対 (base pair) を作るという発見がもとになっていることを引用しています.

塩基の水素結合でつながった二つの DNA 鎖が作る相補的な構造は,セントラルドグマが示す遺伝子の**複製と転写**のメカニズムを予言しています. 複製するときには,2 本鎖の水素結合が解かれ,1 本鎖になり,それぞれに相補的

な鎖が作られ新しい2本鎖DNAが二つでき，これが二つ
の娘細胞に分けられます．遺伝子が転写されるときにも水
素結合が解かれ，一つの鎖に相補的なmRNAが作られま
す．簡潔なわずか1ページの論文でこれだけのことを言っ
ています．

　二重ラセン構造は大きな話題になり，ワトソンとクリッ
クは大学や研究機関に招待され，たくさんの講演をしまし
た．しかし，MRCの二人の研究室の隣にあるケンブリッ
ジ大学からの講演依頼はありませんでした．科学者も人間
ですから妬みもあったのでしょうか．ワトソンは自伝に
「私たちが二重鎖ヘリックス構造を実験しないで発見した
ことに対して，彼らは反感を持ったようです」と書いてい
ます．

　DNAの立体構造の解明に貢献した4人の科学者のうち
フランクリンは1958年に30代で死去しましたが，ワトソ
ン，クリック，ウィルキンスが1962年にノーベル賞を受
賞しています．

DNA鎖を伸ばす複製

　二重ラセン構造が予言したのは，二つのDNA鎖を繋い
でいる水素結合が解かれ，それぞれが複製し二つの二重ラ
センができるメカニズムです（図3-2）．

　DNA鎖を伸ばしていくのは，どんな酵素でしょうか．
アーサー・コーンバーグ（Arthur Kornberg, 1918-2007）
は大腸菌を壊し，細胞内にあるはずの複製に関わる酵素を

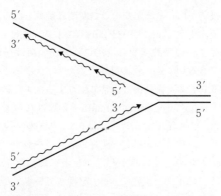

図3-2　DNA 複製のメカニズム　二重ラセンを構成する 2 本鎖の DNA の一方には 5′ 末端と 3′ 末端という方向性が，他方には 3′ 末端と 5′ 末端という方向性がある．複製が始まると二つの鎖をつなぐ水素結合が解け，一部が図のように Y 字状の構造となる．一方の鎖（5′→3′）の DNA の複製は連続的に進み，もう一方の鎖（3′→5′）では短い鎖（5′→3′）（岡崎令治が発見）が作られこれがつながっていく．新たに作られた DNA 鎖の一つは親のものであるので，半保存的な複製と言われている．

探し，1956 年に DNA ポリメラーゼ I（DNA polymerase I, *pol I*）を発見，1959 年にノーベル賞．コンバーグの論文は理解しやすいようにデータが示されており，論旨もきちんとしています．若い研究者には勉強になります．しかし，*pol I* が作る分子や反応のメカニズムを詳しく研究すると，枝分かれした DNA 分子ができるなど，

「*pol I* は本当に複製に関与する酵素か」

という疑問が出てきました．この疑問に挑戦したのは，ケーンズ（H. J. F. Cairns, 1922-2018）でした．彼は

　　「*pol I* が複製酵素ならば，これがない菌は正常に生育できない，逆に複製酵素でなかったら，*pol I* が突然変異しても大腸菌は正常に生育するはずである」

と考え，brute-force mutant hunting と呼ばれる実験を始めました．日本語で言うと「知的でない変異株の探索」を始めました．数千の変異した菌を単離し，一つずつ生育させて *pol I* を持っているかどうかを調べました．3477番目の菌までは正常に生育し *pol I* を持っていました．3478番目の菌は正常に生育していましたが，*pol I* がありませんでした．これによって *pol I* は正常の生育には必要ない，したがって，DNA 複製に直接に関わる酵素ではないことが証明されました．ケーンズらの発見はコーンバーグや他の研究者が，ポリメラーゼをはじめ複製に関わるタンパクとメカニズムを証明していく研究を推進しました．

　複製に関わる本来のポリメラーゼを見つける努力が続けられ，コーンバーグの息子 Thomas Kornberg と M. L. Gefter が1971年に DNA polymerase II（*pol II*）を，翌年にIII（*pol III*）を発見しました．*pol III* は分子量が18万で10ほどのサブユニットから構成されています．その一つ *DnaE* タンパクの遺伝子が突然変異を起こすと大腸菌は生育できなくなることから，DNA polymerase III（*pol III*）が DNA 複製に関わると結論されました．

　その後の研究で明らかになりましたが，*pol III* と水素結

合を切るヘリカーゼ，DNA 結合タンパクなどが共同して，複製開始点（OriC, origin of replication）と呼ばれる部分から DNA 複製が始まります．図 3-2 のように二つの鎖は異なるメカニズムで複製します．

　他のポリメラーゼ，*pol I* は DNA の障害の修復に関与し，*pol II* は複製する間に起こる間違いを訂正すると言われています．二つのポリメラーゼの修復や訂正をする機能によって DNA に変異が入る確率が下がります．

3　ATP 合成酵素を読む

反応する一つの分子を見る

　話題が変わりますが．1999 年に『Science』誌に掲載された 2 ページほどの私たちの論文を読みましょう．メッドライン（MEDLINE）にキーワードを入れると出てきます．急いで発表したいので短い論文を執筆しました．書いた私たちと一緒に読み，意図したところを理解していただきたいと思います．

　酵素の反応は，時間を追ってできる化合物を測るのが一般的な方法です．ATP 合成酵素の場合には，作られる ATP，あるいは逆反応で ATP の加水分解によってできるリン酸や ADP を測定します．測定結果によって，酵素の反応の一般的な性質がわかります．しかし，これらの方法はたくさんの**酵素分子**が一定時間で反応をした後を見ることになります．

　しかし，ATP合成酵素は8種類の異なるタンパク（サブユニット）からなり，複数あるものを入れると合計22のサブユニットからできた大きな分子です．生化学の実験から化学反応に関わる触媒中心が3ヶ所あり，水素イオンの輸送が関与していることがわかりました．したがって，従来の方法で反応様式を推定するだけでは不十分です．一つ一つの分子を観察しないと無理ではないだろうか．このような発想から，酵素の分子一つずつを観察しました．タイトルは，

　　Mechanical Rotation of the c Subunit Oligomer in
　　ATP Synthase（FoF1）: Direct Observation

訳すと「ATP合成酵素 c サブユニット複合体の機械的回転：直接的な観察」ですが，初めの部分は研究結果を，コロン（:）以下は研究方法を説明しています．FoF1 はATP合成酵素の膜に埋め込まれた部分（Fo）と表面に突き出した部分（F1）を示しています．反応する一つずつの酵素分子を直接的に観察することになります．

　最初の二つのパラグラフのイントロダクションでは，ATP合成酵素のサブユニット構造，$\alpha_3\beta_3\gamma$ の三つの β にある触媒中心と c サブユニットが作っている円筒の部分にある水素イオンの通り道について解説しました（図 3-3）．F1 の内部にある γ サブユニットと円筒部分が同時に回転し，反応していることを推定しています．タイトルには c サブユニット複合体と書きましたが，円筒（roter）とした方が良かったでしょう．高度好熱細菌で ATP 合成酵素の

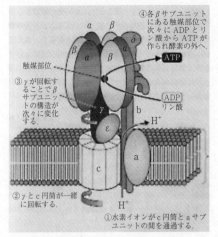

図3-3 **ATP合成酵素のサブユニット構造** 水素イオンが輸送され ADP（アデノシン二リン酸）とリン酸から ATP（アデノシン三リン酸）が合成されるメカニズムを示す．①から④までをたどると ATP が合成される過程がわかる．

$\alpha_3\beta_3\gamma$ 部分をとってきて，γ サブユニットが回転することを示した実験を引用しています．

次のパラグラフでは ATP 合成酵素を逆さまにガラス面に固定して，目印である棒状の蛍光タンパクをつけた円筒部分の回転を測定する反応系を示しました（図3-3，図3-4）．

反応系を顕微鏡で見ながら ATP を加えると，ATP の加水分解に伴って，目印である蛍光タンパクをつけた円筒

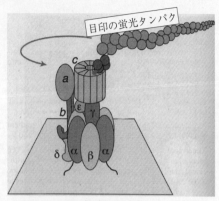

図3-4 ATP合成酵素の回転を示した実験.
Sambongi et al. より引用

　が回転し,ビデオに記録できました.「ATPの加水分解／合成には膜にある円筒を含む部分が一緒に回転する」と結論しました.ディスカッションとして機械的に回転するメカニズムの意義を論じました.

　私の研究室で三本木至宏博士（現・広島大）と和田洋博士（現・大阪大）らが中心になった仕事です.農芸化学科と生物学科出身の科学者が共同で進めた仕事です.生物が幅広い分野で研究されていることを実感します.

　短い論文でしたので,読む人に理解が難しかった点もあり,イチャモン的な意見を言われたことがありました.大腸菌のATP合成酵素を知らない人にはわかりにくかった

ところがあり，普遍的な酵素ですが，生物種によって微妙に違うところもありました．後に発表した総説や解説で詳しく説明し，他のサブユニットに目印として蛍光タンパクや小さな金粒子をつけ実験を繰り返しました．また，本来の膜に入ったままの ATP 合成酵素も，反応に伴って膜に埋め込まれた円筒が回転することを示しました．これで，最初の論文で批判的な意見を言った人からも理解を得ました．

　回転のメカニズムを提案したのはポール・ボイヤー（Paul Boyer, 1918-2018）でした．これを私たちが証明したのです．1997 年のノーベル賞受賞講演では私たちの複数の論文を引用しています．酵素の概念を超えたタンパク

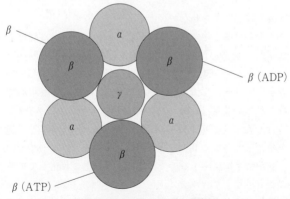

図 3-5　上から見た ATP 合成酵素.

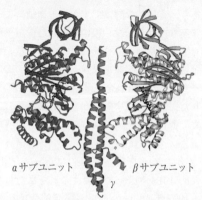

αサブユニット　　　βサブユニット

γ

図3-6　ATP 合成酵素の膜から出ている部分を切断して横から見る．α, β, γ の三つのサブユニットが見える原図は Abrahams et al から引用.

機械と呼ぶにふさわしい酵素です．

　上から見ると ATP 合成酵素は，αとβが交互に配置され $\alpha_3\beta_3$ の構造を作っており（図3-5），横から見た断面図では，αとβの間にできる隙間にγがあることを示しています（図3-6）．反応はβサブユニットにある触媒中心で行われています．$\alpha_3\beta_3$ 全体の結晶構造を見ると，ADP を結合したβ（ADP＋Pi），ATP を結合したβ（ATP），何も結合していないβ，の三つがあります．これは一つ一つのβが勝手に反応するのではなく，協同して反応していることを示します．

　生化学による研究，結晶構造，一分子観察の結果を踏ま

えてメカニズムを考えてみましょう．ある時間で一つの β サブユニットを見ると，下線を引いた三つの状態にあり反応が進行しています．

$$\beta + ADP \rightarrow \underline{\beta\,(ADP+Pi)} \rightarrow \underline{\beta\,(ATP)} \rightarrow 3H^+\,(外 \rightarrow 内) \rightarrow 回転 \rightarrow \beta + ATP$$

何も結合していない β サブユニットの化学反応に関わる部分（触媒中心）に ADP とリン酸（Pi）が結合し，β（ATP）となり ATP が作られます．この間に c 円筒と a が次々に作る H^+ 通路をミトコンドリア，あるいは細菌の外から内部へ三つの水素イオンが通り $3H^+$（外→内），c 円筒と γ が一つの単位として 1/3 回転し，上の反応式にあるように β + ATP，すなわち β から ATP が外れます．この状況では他の二つは β（ADP+Pi）と β（ATP）から始まります．三つのサブユニットは独立して同じ反応をしているのではなく，協同的に働いているのです．

　一分子観察では，視野にあるたくさんの酵素分子を一度に見ることができます．ATP を加えて逆反応で見ますと，すべての酵素分子が一斉に反応を始めるのではなく，すぐに回転するもの，1秒後に始めるもの，始めたけれど1秒以下でやめてしまうものなど，さまざまでした．各分子の反応は一斉に始めないで，確率論的（stochastic）な挙動を示しました．実際の細胞内でも，酵素は同じような挙動をしているのではないでしょうか．このようなメカニズムは，中西真弓教授との研究で確立しました．

4　論文にだまされないで

不正と捏造

　論文やレポートを読むときは，第1章の最後に書いたように，「疑う自由」を駆使しなければいけません．特に「画期的な大発見」とか，「長年の謎を解いた」などの報告は注意した方がよいでしょう．科学の分野は細分化しているので，他の分野の仕事はなかなかわかりにくいものです．注意を喚起するために，起きてはいけないことを考えましょう．

　「自然に聞く」という姿勢で倫理観を持って真実を探究していますから，科学者が不正（misconduct）をするとは考えたくありません．しかし，時には，捏造，改ざん，盗用，二重投稿などの疑いのある論文が発表されることがあります．私たちは批判的に論文を読み，不正に惑わされない判断力をつけるべきです．

　1974年に『タイム』誌の記事にもなりましたが，ニューヨークのがん研究所の研究者が黒いマウスの皮膚を系統の違う白い個体に移植できたと発表しました．このような移植をした組織は一般に免疫学的に拒絶されますが，この拒絶反応を回避させる方法を見つけたと報告をしました．実験を再現することが難しく問題になりましたが，実際には白いマウスの皮膚をマーカーペンで黒く塗っていました．こんなことをする研究者がいるのです．

　2002年には先端的な研究を行っている著名なベル研究

所の物理学者が一流の学術誌である『Nature』と『Science』に合わせて 16 報の高温超伝導（液体窒素の温度で電気抵抗がゼロになる現象）に関する論文を発表しましたが、実際に行っていない実験を含む捏造であることが明らかになっています．世界的に権威ある一流の国際的論文誌といえども油断できません．二つの例でわかるように、常識をくつがえすような報告には、科学者は《疑う自由》を駆使しなければいけません．

　こんなこともありました．ある研究者が常識をひっくり返す大発見を発表したことがありました．ところが発表の会場で質疑が重ねられると、結果を得られたのはただの 1 回だけであり、再現性は「これから検討します」という答えでした．再現できていない段階で、詳しい検討もしないで発表したのです．その大発見が実際には間違いであることを、他の研究者が証明しました．このような例は少ないのですが、身近に経験するのは残念なことでした．

　新しいデータが出ると誰でも興奮し、早く発表したくなりますが、科学者は実験を繰り返して再現性を十分に確認しなければいけません．これを怠ると、間違うことになります．不正行為であるとは言い難いでしょうが、研究室の体制と教育には大きな疑問が残りました．

　私の分野で図から文章まで同じ論文が、異なる二つの学術誌に出されていたのを見つけ、呆れてしまいました．二重投稿と言われますが、業績を増やす目的でしょうか．不正な論文は国内外を問わず出版されています．また、ある

著名な心理学者の論文のうちで再現性があったのは39％だという報告もありました.

　いずれ不正とわかる論文を発表するのは何故でしょうか. 科学者の名誉欲からでしょうか. 結果を出さなければいけない, 研究費を獲得しなければならない, このような気持ちは誰にでもありますが, 過度に考えると本来の科学者としての姿勢を忘れることになります.

　　　「今年は研究費がないから, のんびりやろう」
と考えるのも時には必要でしょう. そのためには, 大学や研究所が基本的な支援（basic support）をしていく必要があります. 一方で, 指導者が強圧的な態度で研究者に不適切な指示をしてはいないだろうか, 逆に研究者が指導者の考えに合うような操作をしてはいないだろうかなど, 科学者にとっての当たり前を忘れないでおくべきです.

　日本を代表する大学においても, 研究不正が行われるようになったのに対応して, 研究倫理の教育が不十分であることが指摘されました. 現在では文部科学省のガイドラインに沿った倫理規定があり, 各大学に研究倫理支援室や推進室が設けられ, 臨床研究の審査, 不正防止に対する教育, 不正の通報への対応などが行われています.

　東京大学のある研究所で行われた不正に対しては, 同大学の科学研究行動規範委員会が2014年から数年をかけて調査が行われ, ネットに報告書が出されています. 不正に関わった教授以下4名の教員と7名の筆頭著者によって, 多数の論文に不正があったことが報告されています. 不正行

為が発生する環境として，

・国際的に著名な論文誌への掲載を過度に重視する
・ストーリーにあった実験結果を求める
・学生や部下に対する強圧的な指導をする
・従順な学生に対する過大な要求をする
・実施困難なスケジュールの設定をする

などを委員会が指摘しています．きちんとした報告書をまとめた委員会のご苦労に敬意を持ちます．そして，研究と教育に忙しい教員が専門家と共同で時間を割いて，不正調査の委員会に参画しなければならなかったことは，残念なことだったでしょう．

不正をした教授は科学技術振興機構から多額の研究費によって支援されてきました．ステロイドホルモンの標的となる遺伝子を同定し，遺伝情報が発現するメカニズムを明らかにしています．教授の講演を何度か聞きましたが，模式図が多くわかりやすい話でした．同じ分野で研究していない私には不正が見抜けませんでした．また，科学技術振興機構の研究費を審査する委員会も見抜けなかったから，多大な研究費を継続的に交付したのでしょう．

さらにこの事件は大学の統治機構に関連する問題にも波及しています．不正をするような教授や教員を選んでしまった研究所には責任がないでしょうか．教員選考過程を改めて考える必要があります．数十年も前のコーネル大学生物学部では，候補者が2〜3人になった時点で公開のセミナーをしていました．博士研究員まで加わって，「彼はレ

ベルの高い仕事をしており，人間的にも優れている」など
と議論をしていました．

　山崎茂明氏が科学者の不正行為について考察し，アメリ
カや日本における事例と対策をまとめ，日本学術会議から
「科学における不正行為とその防止について」という報告
書を出しています．またすでに引用した日本学術振興会の
2015 年の報告書には捏造，改ざん，二重投稿など研究者
の不正がまとめられています．詳細はそちらに譲ります．

不正の監視，コロナの論文も

　私たちは自分の仕事に関係した論文，講義のために広い
分野の論文や総説を読みます．発表された論文のなかに不
正や捏造がないとは言えません．不正は基礎研究に留まら
ず，社会にも影響を与えます．しかし，すべての論文につ
いて判断するのは簡単ではありません．これを助けるよう
な試みが始められています．

　インターネットには疑義がある論文のリスト，不自然な
画像解析を特定する，などに関するサイトがあります．ま
た，撤回された論文（Retracted manuscript）を監視して
いるサイトがあり，いろいろな理由から撤回された論文の
リストが出ています．一冊の本が撤回されたことがありま
した．Japan Retractions（日本における撤回）というサイ
トもあります．

　2012 年に二人の科学ジャーナリストが始めた Retrac-
tion Watch（撤回監視と訳しましょうか）というサイトは

役に立っています．**出版された論文の同業者による査読**（post-publication peer review）を目指しています．登録しておくと撤回された論文を知らせる記事が定期的に送られてきますので，参考になります．

社会的影響の例として，新型コロナウイルス（Covid-19）関係の論文があります．たくさん発表されていますが，すでに 300 編以上が撤回されました．その中には 2020 年 6 月に撤回された抗マラリア薬（クロロキン）が有効であるという論文があります．最近では，2021 年 1 月 22 日にスペインの内科医グループが『ランセット』（The Lancet）誌に「ビタミン D（Calcifediol）が Covid-19 に有効である」と報告しました．Covid-19 は日本では新型コロナウイルスと呼ばれています．

論文による治療によって，ICU（Intensive Care Unit）の使用が 80% 減，死亡率が 60% 減になるという，真偽は定かではない発表もありました．「ビタミン D 治療と Covid-19」という題名の論文です．イギリスの国会議員が「ビタミン D と Covid-19 の重要な研究であり，安価で安全な治療である」と高く評価し，マスメディアでも大きく取り上げられました．しかし，発表されて 1 ヶ月ほどで論文が撤回されたとの知らせがきました．

『ランセット』誌はエルゼビア社の出す評価の高い学術誌で，世界五大医学誌の一つとされています．学術誌を評価するインパクトファクターは 200 を超えるとされています．インパクトファクターに関しては第 5 章で述べます．

すぐに,『ランセット』誌のホームページを見ると,

> We have removed this *preprint* due to *concerns*
> about the description of the research in this paper.
> This has led us to initiate an investigation into this
> study.

イタリックにした *preprint* は投稿され審査を経て受理された原稿ですから,編集作業を経て正式な論文になる前のものです.下線を引いた点に懸念する (concern) 点があることを指摘,全体で「この論文の研究の記述に問題があったので,私たちは削除した」という記事です.方法とデータの評価,統計の取り方などに問題があったのです.続いて,研究の調査を始めることが書かれています.論文が撤回され科学の信頼を揺るがしました.

　国会議員は科学者ではありませんから,発言に惑わされてはいけません.急速な広がりを見せたパンデミックで焦ったのでしょうか,Covid-19 関連の論文の審査が甘くなっています.

　すべての科学者が間違いや不正をすることなく,正直に再現性を検討して発表すれば問題ないのです.しかし,現状を考えると,科学の世界から間違いや剽窃がなくなるようにするのは大切な努力です.不正や撤回を監視しているサイトは「科学の世界をきれいにするように掃除している」と考えていいでしょう.

　科学論文を読むための基本を見てきました.そのうえで,不正な論文に《だまされない》ように考察しました.

次の章ではインターネットの時代のコミュニケーションを
考えます.

引用した文献

1) J. D. Watson and F. H. C. Crick (1953), Molecular
   structure of nucleic acids: A structure for deoxyri-
   bose nucleic acid. Nature 171, 737-738

2) 二井將光 (2017)『生命を支える ATP エネルギー
   ——メカニズムから医療への応用まで』講談社ブル
   ーバックス

3) Peter Mitchell (1961), Coupling of phosphorylation
   to electron and hydrogen transfer by a chemi-os-
   motic type of mechanism. Nature 191, 144-148..

4) JP Abrahams, AGW Leslie, R Lutter, JE Walker
   (1994) Structure at 2.8 Å resolution of F_1-ATPase
   from bovine heart mitochondria. Nature 370, 621-
   628.

5) Y. Sambongi, M. Futai et al. (1999), Mechanical ro-
   tation of the c subunit oligomer in ATP synthase
   (F_0F_1) : Direct observation. Science 286, 1722-1724

6) M. Nakanishi-Matsui and M. Futai (2006) Critical
   Review. Stochastic Proton Pumping ATPases:
   From single molecules to diverse physiological
   roles. IUBMB Life, 58, 318-322.

7) 学術と社会常置委員会報告 (2003)「科学における不

正行為とその防止について」日本学術会議

8）東京大学科学研究行動規範委員会（2014）「分子細胞
　　生物学研究所・旧加藤研究室における論文不正に関
　　する調査報告（最終）」

9）山崎茂明（2002）『科学者の不正行為 —— 捏造・偽
　　造・盗用』丸善出版

10）日本学術振興会（2015）『科学の健全な発展のため
　　に —— 誠実な科学者の心得』丸善出版

11）Retracton Watch, http://retractionwatch.com.

第4章　探究に必要なコミュニケーション

1　情報の交換

「書く／読む」へ

　私たちの毎日の生活にはコミュニケーションが大きな役割を果たします．原始時代の人類は「叫ぶ」ことによって，命令する，権力を誇示する，危険を知らせる，獲物の所在を知らせる，などの情報を発信しました．聞いた方は叫び返して了解したことを知らせました．言語が複雑になるにしたがって，伝える情報も増え，時間をかけて，じっくりと「話し／聞く」ようになり議論とか討論が生まれました．長い歴史から考えると最近のことですが，さらに「書く／読む」が加わって交換する情報が質量とも増え正確になり，保存されるようになります．伝える内容を検討・吟味して，多数の人に事実や思想を伝えることが可能になりました．

　「書く」は情報を詳しく伝える主要な手段です．個人の間だけでなく，上司に出す報告書や学会で発表するレポートや論文，総説や一般的な解説，不特定の人が読むエッセイ，などが書かれています．これに録音や映像の技術が加

わり，コミュニケーションの内容が深まりました．

　仕事上の連絡や打ち合わせ，生活の場から出す手紙は正確に情報を伝えることができ，厚い書籍や大部の資料，サンプルや標本も送れます．十分に時間を使って，内容，表現や言葉を検討して書くことができます．書留郵便（registered mail）もあり，第三者に読まれる可能性がないので安心です．連絡したい人のEメールアドレスを知らない場合にはどうしても手紙になります．

　従来の航空便では時間がかかっていましたが，現在ではFedex（Federal Express）やDHL Express（DHLは創立者3人の頭文字をとった会社名），EMS便（国際スピード郵便）などを使えば，郵便物を数日で外国に届けることができます．

　はじめに，国際的コミュニケーションとして英語を中心とした手紙を考えます．実例として，私がアメリカ化学会からもらった手紙を見ましょう．

　Important: Renewal Request for the Membership
「重要：会員資格の更新のお願い」という内容を示す一行があり，二行ほど開けて私のアドレスと日付があり，本文です．

　Dear Dr. Futai,
　I am writing to you to remind you about continuing your Membership in our Society. A few weeks ago, I asked you to update your records as part of our renewal process ……

名誉会員資格の継続の更新（Renewal）の手紙を，思い出すように知らせてきた（remind）のです．上の文章にあるように，数週間前（A few weeks ago）に私のEメールアドレス，電話番号など個人情報を最新のものに更新（update）してほしいと手紙をもらったのを忘れていました．すぐにホームページを確認し，入力し手続きを完了，学会としては手紙以外の方法はなかったのです，

　上の例のように，英文手紙では送る相手の名前／所属／住所を入れたのちに，日付を入れます．例えば，親しい友人マッキニー博士（Dr. William McKinney）に出す手紙では Dear Bill から始めます．Bill は彼の愛称です．時候の挨拶などはなく，すぐに用件に入ります．書いたものは残りますから慎重に書き，2〜5 のパラグラフで本文を終え，1 行ほど開けて Sincerely yours とします．全体を確認して，自分（差出人）の姓名をタイプし，サインして封筒に入れ，相手と自分の住所を書いて封をして投函．最近では，英文の手紙と同じ形式でワープロを使って書き，署名した日本語の手紙をもらうことが多くなりました．急ぐ場合には手紙を Fax で送りましたが，Eメールが普及してからは，使わなくなりました．

共通の言葉で書く

　話すときも同じですが，書いて伝えるときには，私たちは新しい発見や主張が広く受け入れられるのを目的とし，読んだ人や聞いた人に理解してもらうことを目指していま

す.「書く」ときには読む人と共通の言葉を使い, 言葉や
表現を工夫します. 簡潔に書こうとして無理に文章を短く
する, 読む人が理解できない難しい専門語を使う, などは
避けた方がよいでしょう. 例えば, 私が執筆した総説に,

　　　胃の内腔の細胞にある H^+/K^+-ATPase は, ATP の
　　　加水分解のエネルギーを駆動力としてプロトンを細胞
　　　外へ, K^+ を細胞内へ 1:1 の比で交換輸送している.

と書きました. 専門用語が多い硬い文章と思われるでしょ
う. 生物のエネルギー, 生物学や生化学の研究者や胃腸の
専門家に向けた解説としてはよいのですが, 他の分野の研
究者や一般の読者には難しいでしょう. もう少し丁寧に書
きます.

　専門用語には注意します.「胃の内腔」といきなり言わ
れたら, 何のことだかわからないので,「胃の内側」としま
す. 同じように, プロトンは水素イオン, K^+ はカリウ
ムイオンです.「エネルギーを駆動力として」という書き
方ではわかりにくく, 駆動力という専門用語は「どんな力
か」と不思議に思う人が多いでしょうから, 使わないこと
にします.「交換輸送」にも解説が必要です. ①狭い分野
の専門用語をできるだけ使わない, ②必要に応じて説明を
加える, これらを考えて書き直しますと,

　　　私たちの胃の内側にある細胞の形質膜（細胞膜）には
　　　H^+/K^+-ATPase（ATP アーゼ）があります. この酵
　　　素は生物のエネルギー物質である ATP を加水分解し
　　　たエネルギーを使って水素イオン（H^+）を細胞の外

へ出します．これの代わりに，カリウムイオン（K^+）
を細胞内に取り入れます．二つのイオンの比は1：1
です．このように，K^+ を細胞内へ，H^+ を外へと逆方
向に運ぶメカニズムは，一般に交換輸送と言われてい
ます．同時に塩素イオンが別の膜タンパクから分泌さ
れ，胃酸として塩酸が胃の内部に出されます．
これで胃の専門家だけではなく，一般の読者にも受け入れ
られる表現になります．胃酸を分泌している細胞は「壁細
胞」と名付けられていますが，これを書くとさらに難しく
してしまうのでやめましょう．上に述べた H^+/K^+-
ATPase は，前田正知博士が中心になった仕事です．
　私の数少ない経験ですが，一般向けに書いたときには，
専門の言葉はできるだけ少なく，3〜5個程度にして欲し
い，というのが編集者の希望でした．さらに，タンパク質
の分子の構造，エネルギーの変換，反応の協同性などの専
門用語を一般的な言葉にして理解してもらう工夫をし，科
学者の文章でよく出てくる，「示唆する，証明する，考察
する」などの言葉も避けました．
　現代ではインターネットの進歩によって，情報が迅速に
交換できるようになりました．書いて伝えるコミュニケー
ションはパソコンやスマホによるEメールが中心になり
ました．

2 生活や職場に入ってきたインターネット

E メールで仕事する

　現代では情報交換が迅速になり，国際的にも新しい形の
コミュニケーションが駆使されています．E メールについ
て，すでに触れましたが，インターネットの時代に仕事を
していく上で欠かせません．

　　件名　Could you do me a favor?

　　本文　Dear Frances,

　　　　　We want your picture appeared on our article,
　　　　　since I have often citing your comments on
　　　　　English. Could you send me an appropriate
　　　　　one, if you could agree?

　　　　　Best regards,

　　　　　Masa

「私が執筆しているエッセイで，あなたの意見を何度も
引用しましたので，謝意と一緒にあなたの写真を載せたい
ので送っていただけませんか」と連絡しました．Masa は
私の愛称です．長年の友人であるフランセス・シャイデル
に出したメールを引用しました．『工業材料』という雑誌
に1年以上にわたって，「英語でつきあう科学技術」とい
う記事を連載したときに，彼女から英語の微妙な表現につ
いて教えてもらいました．謝意と同時に彼女の写真を出し
たかったのです．

　件名は「お願いできますか？」と書きましたが，若い友

人からこのような件名を書くと，

> 「詐欺メールを感知する AI（Artificial Intelligence,
> 人工知能）のフィルターにかかり，受け取りを拒否
> され，相手に届かない可能性がありますよ」

と忠告を受けました．過去にフランシスとは何度もメール
の交換をしていたので，私のメールは届いたのかもしれま
せん．友人の言うように，初めて送るメールではこのよう
な件名は避けた方が良いでしょう．本文は Dear Frances
と始めました．親しみを込めて，Hi Frances! としてもよ
かったでしょう．数時間で返事がきました．

件名　A photo
本文　Dear Masa,

I will put my mind to search for suitable pho-
to very soon.

Best wishes,

Frances

「適切な写真（suitable photo）を，すぐに探しましょう」
という返事です．"put my mind to search" がいかにも英
語らしい表現です．多くの日本人は "I will look for a
suitable picture." とするでしょう．一般に文章を書くと
きには，誤解を招かないように正確に書き，簡単すぎては
わかりにくいし，くどいのもいけません．2 日後にメール
に添付して写真が送られてきましたので，私たちの記事に
掲載しました．

このように，E メールはアッという間に届き，読んです

ぐに返事ができるので，数分間で懸案が解決します．**外国の研究者と迅速に連絡できるようになったのは有難いこと**です．Eメールの書き方は手紙よりもずっと簡便です．フランセスとのメールにありましたが，件名のところにはごく簡単に，「あなたに送った小包」，「私たちの最近の発見」，「簡単な質問」など簡潔に記入し，続いて下の広い欄に連絡する内容を書きます．

　メールの文章が長くなりそうだったら，本文の最初に内容を要約する一文あるいはフレーズをつけます．例えば，12月6日の会議を提案するのでしたら，

　　　　"Our proposal for the December 6 Meeting."
と前置きをし，文章を書き，議題や日時を提案します．また，もらったEメールの返信では，

　　　　"Responding to your email dated June 20th"
こんな前置きをして，返事を書くとよいでしょう．

　　　Hi! M,
　　　The attached file is the results from the last experiments. Let me know your opinion.
　　　Regards,
　　　R.

オックスフォード大学リチャード・ベリー教授（Richard Berry）からのEメールです．私の名前の頭文字（M）で始まり，本文は「添付は最新の実験結果です，意見を聞かせてください」と書かれ，リチャードのイニシャルRで終わります．あらかじめ決めておいたパスワードで添付書

類を開けて，データと実験条件を朝から夕刻までに検討してすぐに返信．寝ている間に彼らが私たちの意見を容れて新たに実験をし，データや意見を再び送ってきます．翌日にはこれを私たちが検討して返信します．

リチャードが私たちの論文を読み提案してきた研究，私たちが送った酵素を彼らが物理的に解析する研究は完成しました．

「共同研究には時差が役に立つね」

と笑いあったのを思い出します．メールの往復で十分な研究ができ，2010年前後に四つの共著論文を仕上げました．

共同研究の途中でリチャードが学生を連れて私の研究室を訪ねてきて，一般公開のシンポジウムをやり終わった後で温泉に行きパーティーをし，さらに協力関係を強めることができました．最近ではEメールだけでなくZOOMやSkypeなどのソフトを駆使して国際的な共同研究ができるようになりました．コーネル時代からの友人スタンレー（Stanley Dunn，トロント大学），岩本昌子（長浜バイオ大）とは回転のメカニズムを解析し，ATP合成酵素が柔軟な分子であることを発見しました．

ウラジミール（Vladimir Marshansky，マサチューセッツ・ジェネラル・ホスピタル），孫戈虹（同志社女子大）とは尿細管の細胞がタンパクを取り込むメカニズムで共同研究をしました．共著論文は『Nature』の姉妹誌に投稿しました．改訂を求められましたが，ウラジミールは編集者の意見の一部は聞き入れ，他の点は反論し議論を続け半

年以上も我慢強く対応し，最終的に掲載されました．彼の
ロシア人的な粘り強さに感心しました．出版された後には
500件以上の論文に引用されています．彼とはタンパクの
細胞内への取り込みを主題として二つほどの総説を執筆し
ました．仕事がまとまった時点で彼を私たちの研究室に招
き，議論する機会を作りました．

　Eメールは便利ですが，注意が必要です．本文を書き終
わったら内容を吟味・推敲し，件名（用件）を確認，最後
に宛先を入れ送信します．宛先を最後に入れるのは，推敲
する前のものを送る，送り先を間違えるなどの失敗をさけ
るためです．

　同じEメールを一人ずつに送るのがめんどうだったの
で，10人ほどにまとめてCC（Carbon Copy）で送ったこ
とがあります．若い友人から「あなたがメールを送った
10人全員が私のアドレスを知ることになった」と強く非
難されました．こんなことで揉めるのは心外でしたが，次
からは同じメールを複数の人にはBCC（Blind Carbon
Copy）で送ることにしました．

　メールはコピーして第三者に転送できますし，他人に読
まれる可能性があります．添付して送る書類には，送付先
と相談してあらかじめパスワードを設定しておきます．機
密性の高い情報，例えば，新しい発見や新製品の説明など
には他の手段を考えた方がよいでしょう．

　知らない人からのメールと添付資料は開けないで捨てて
います．クレジットカードや銀行のカードの番号などを聞

かれたら，もちろん教えてはいけません．個人情報を不正に取得しようという詐欺の場合が多いようです．

　論文の投稿や審査にもインターネットが使われるようになって，論文の投稿から採択までが迅速になり，科学の進歩につながっています．こちらは安全だと思います．しかし，間違ってはいけないので，共同研究者と二人でコンピューターに向かい慎重に，一つ一つ確認しながら投稿するのがよいでしょう．

さらにネットで

　古い友人のアンソニー（Anthony Newman）はエルゼビア社で学術論文誌の編集者（managing editor）をやっています．エルゼビア社は世界最大の科学・技術・医学の出版企業です．生物系の学術論文誌を受け持ち，世界中を飛び回っていました．何度も国際会議で会い親しくなりました．しかし，十数年以上前からほとんど在宅で仕事をしており，出張も少なくなり会社にいくのは2，3ヶ月に1回程度だと言っています．編集者が机を並べて仕事する風景は一時代前のもので，現在ではコンピュータの前で仕事をしています．これで論文誌の審査から出版に至る作業には支障ないようです．パンデミック以降に，世界中で行われるようになったリモートワークのはしりです．

　新型コロナウイルス（Covid-19）のパンデミックのために，この数年ほど外国出張ができませんが，たくさんの欧米の学会でウェビナー（Webinar）が行われています．

Webinar は Web（ネット上の情報通信網）とセミナー（seminar）からできた新しい言葉です．例えば，アメリカ化学会（ACS）は，糖尿病薬の作用機構，Covid-19 ウイルスの感染と薬の作用，抗ウイルス薬の作用点，など広い分野でウェビナーを提供しています．『Nature』誌のWebcast も意欲的で，セミナーが終わっても，請求すれば（on demand）ビデオを見ることができることもあります．AAAS（米国科学振興協会）では，会員同士が議論するサイトを設けています．

　テレビ電話 Skype や会議ソフト ZOOM などが使えるようになって，リモートワークがさらに便利になりました．何千キロと離れていても，図や表，データを指差しながら議論し，必要に応じて実験操作を見せることができます．まさに外国の研究者と対面で議論できるので，共同研究はメールの往復よりも，さらに速くなりました．

　また，ネットを使った国際会議や講義も始められています．ビデオ会議ソフト ZOOM が使い始められた頃に国際学会の理事会に参加しましたが，主催者（座長）や参加者が慣れていないので，議論が進まず時間が余計にかかる印象でした．対面の会議との違いから改良すべき点が多々ありました．しかし，回数を重ねるにつれ，私たちもネット会議に慣れてきました．

　最近参加した日米英独の生物エネルギー研究者による2021 年の ZOOM 会議では講演内容の要旨集は作らない，録画はしないと決めました．これで新鮮なデータを話せる

雰囲気ができました．しかし，問題はやはり時差．東京と
アメリカの東部時間（EST）の差は 13 時間ありますが，
欧米人の参加が多いので，EST でやることになりました．
話し合った結果，時差の関係で夜中になり聞けなかった，
眠くなってしまい理解できなかった講演は，演者に依頼す
れば，お互いの深夜を避けて，改めて講演し議論すること
に決めました．会議はうまくいって，参加者は未発表のデー
タを交換し，共同研究が生まれました．

3　仕事の結果を社会へ

足跡を残す

　どんな職業でも仕事の結果を検討し，総括して報告し，
議論のうえで次に進む方向を決めます．科学の仕事では，
得られたデータを整理して，次の実験や観察を考えます．
これを繰り返していくと，疑問が少しずつ解決していき，
運が良いと数ヶ月から 1 年で新しい現象，メカニズムや化
合物，タンパク質や酵素を手にできます．関連する先行研
究があれば，詳しく調べて自分の発見が新しいことを確認
し，同時に次の方向を考えます．

　結果がまとまると，「はい，この仕事は終わり，次は何
をやろうか」とデータを机の中に大切にしまっておく，こ
れではいけません．発表する，特許を取る，あるいは報告
する段階になります．大学や研究機関，近い分野の研究者
などに仕事の目的と結果を説明し，データを見せて意見を

聞きます．次はセミナーや講演，学会で話し，多くの人の
意見を聞きます．

　科学者は人生の貴重な時間と公的な資金を使い，大学や
研究機関で機械や装置を使って仕事をしています．上司の
指導を受け，同僚に手伝ってもらうこともありました．し
たがって，**報告して評価を受けるのは当然**ですし，義務と言
ってもよいでしょう．発表した論文は社会の共通財産にな
ります．発見によっては特許を取得しなければいけませ
ん．

　研究室に所属する大学院生や職員が仕事をして，新しい
研究結果を発表する．ここまでが研究者の教育と私は考え
ています．現在ではインターネットによる検索エンジンが
進歩していますので，どんな小さな発見でも報告しておく
と，同じ分野の研究者の目に留まり，どこかで役に立つは
ずです．

　自分のデータを執筆しても一流の学術論文誌は採択して
くれないから，論文は書かない，仮説を証明できなかった
から発表の価値はない．実用には結びつかないので特許を
取れないだろう．このようなネガティブな判断は慎重にす
るべきです．研究者としての足跡を残すことに消極的にな
ってはいけません．

論文を書き始めて

　仕事を進める過程でいずれは公表する（発表する）こと
を意識して毎日の仕事を進めますが，測定できない，関与

する分子がわからない，など研究はなかなかうまくいきません．苦しいときもありますが，新しい発見を報告書や論文にまとめるのは楽しい仕事です．

　私が初めての論文を書くことになったのは，「mRNA の代謝（分解）に関与する酵素」についての仕事がまとまった大学院の 2 年目．DNA の遺伝情報が読まれて mRNA になりタンパクに翻訳されます．結果は，この mRNA の代謝に関わる酵素を見つけたものです．原稿を書く上で難しかったのは仕事を位置づけし，新しさを示す論旨の展開でした．今までに読んだ論文を参考にして，3 ヶ月ほどかけて原稿を完成しました．かなり自信はあったのですが，教授に見せると鉛筆で真っ黒になるほど訂正・加筆され，ほとんど原形がわからなくなりました．科学を書くことの難しさを実感しました．指摘された理由を考えながら改訂を何度も繰り返し，私の人生で最初の論文ができました．

　執筆の要領がわかってきたのは教授や共同研究者と 20 編ほど執筆し発表した時点でした．論文誌に発表して理解してもらおうとするのは，不特定多数の人です．大学院生や博士研究員を指導する立場になってからは，

　　　「何ヶ月もかけて完成させた論文も，読む人には未
　　　完成なデータ，おかしな論旨や表現はすぐにわかり
　　　ます」

これを理解してもらうように指導しました．何ヶ月も執筆に集中していると，原稿の弱点がわからなくなります．読む人は批判的ですから，おかしなところはすぐにわかりま

す.

　指導する際にもう一つ強調したのは，書くのはエッセイや小説ではないことです．小説では，磨き抜かれた文章が流れるように展開し，自然の美しさや登場人物の微妙な心理が描写され，パラグラフ（段落）を追って話が進みます．文章をわざと読み難くしたり，話の進展を暗示したり，行間を読まなければならないように工夫することもあります.

　探偵小説では殺人事件が起こり，名探偵が登場し，現場を検証し関係者を調べ推理し，紆余曲折を経て謎が解けやっと犯人が見つかり，「めでたし，めでたし」となります．ところが，科学で同じ書き方をすると，読む人は重要な点に到達するまでに時間がかかり，混乱します．論文や報告書ではタイトル（題名）から新しさを前面に出して，簡潔でわかりやすくし，**研究の originality**（新しさ，独創性など）を納得してもらいます.

　科学の分野では国際的な発表を目指しているので，「論文の書き方」の本を読むと，ほとんどのページが英文の表現法に割かれています．大切なのは英語の表現より論旨の展開です．初めから英語で書ければよいのですが，無理であれば部分的に日本語を混ぜて英語で書き，後で英語の論文としてまとめるのがよいでしょう．エネルギー代謝の研究の先駆者であるラッカーが書いています.

　　The writing may even succeed in transmitting some of <u>the excitement of the laboratory.</u>（E. Racker,

1976）.
下線を引きましたが，原稿が完成した時点で，発見したときの研究室の興奮を伝えることができれば，書く作業は成功したと言えます.

コーネル大学で仕事をしていたときに，エネルギー通貨ATPを作る大腸菌の酵素の研究結果をまとめ，論文の原稿の校閲をラッカーにお願いしました．1週間ほどして呼ばれて彼の部屋に行くと，30ページほどの原稿に最初の3ページほどのイントロダクションの終わりまでを鉛筆で真っ黒に改訂したものを見せ，

　　「君の英語がまだダメだね．研究するにはもっと勉強
　　するように」
と言われて返却されました．研究の興奮が伝わらなかったのかもしれません．私はむかっとしました．ここは冷静になって仕事の内容を図と表を中心に口頭で説明したところ，高く評価してくれました.

ラッカーに校閲をお願いした原稿の英語は研究室のボスのヘッペル教授と隣の研究室のデーヴィッドに見てもらったものでした.

　　「エフ・ラッカーが，そんなことを言ったか」
と教授は笑っていました．ラッカーの意見は参考にはしましたが，彼の訂正した英文はほとんど取り入れませんでした.

改めて，ラッカーの論文を読んでみましたが，書き方と論旨の展開には個性があることを実感しました．実際に次

の章では論文，報告書，レポートなどの書き方を考えましょう．

引用したサイトと文献

1）Zoom Video conferencing, https://www.zoom.us/
2）American Chemical Society, https://www.acs.org
3）American Association for the Advancement of Science, https://www.aaas.org
4）Nature, https://www.nature.com
5）E. Racker（1976）A New Look at Mechanisms in Bioenergetics, Academic Press, New York, San Francisco, London.

第5章　論文・レポートを書く人へ

1　英語で執筆

書くときには注意を

　原稿は科学の世界の共通語である英語で書くことになります．科学論文やレポートを書くうえで私が注意している点を書いておきます．一般的な英文の書き方については他に譲ります．

　一つは「持って回る表現」です．日本語でもよく気がつきますが，「私は生物エネルギーの研究に貢献できれば良いかなと思います」「セミナーに来ていただければと思います」のような「たら，れば」表現（上の文章の下線のところ）です．これは避けて，直接的に「私は生物エネルギーの研究に貢献したい」，「セミナーに来ていただきたい」と言ってほしいのです．話し言葉だけでなく，論文上でもそのような曖昧な表現がみられるのです．日本語は「空気を読む」，「忖度する」などのうえにできているので，断定を避ける表現が多いのですが，英語では正反対と言えます．特に論文では曖昧な表現は避けた方がよいと思います．

These granules <u>are reported to have</u> ATP-dependent
H$^+$transport activity.

私たちの 1990 年の論文のイントロダクションにある一文
ですが，下線の部分はまわりくどいので，have にして文
献を引用した方がよかったでしょう．しかし，次に考えま
すが，論文のスタイルとして，絶対にこのようにしなけれ
ばいけない，ということではありません．

　文章のスタイルについて考えます．ウィスコンシン大学
のポッター（V. R. Potter, 1911-2001）は，現在の地球を
次の世代に渡すために必要な新しい学問，バイオエシック
ス（bioethics）を 1970 年に提唱し，同名の著書を出しま
した．この言葉は生物学（<u>bio</u>logy）と倫理学（<u>ethics</u>）か
ら作られたものです．私の実験室の隣が彼の研究室でした
ので，彼と環境汚染や地球温暖化について議論する機会が
ありました．

　<u>Mankind is urgently in need of new wisdom</u> that will
　provide the "*knowledge of how to use knowledge*"

著書の一文です．文頭（下線部分）ですが，"Mankind
urgently needs new wisdom"「人類は新しい知恵（new
wisdom）を緊急に（urgently）必要とする」とするのは
どうか．友人フランシスに聞くと，答えは私の文章は簡潔
でわかりやすい．しかし，ポッターの方が説得力があると
言っていました．この点は母語話者（native speaker）で
はない私にはよくわかりません．また，「知識をどのよう
に使うかという知識」というイタリックの部分は，

"*knowledge of*" は削除するか，別の言葉にした方がよい
と話すと，フランシスは同意しました．このような単語の
繰り返しは本来の英文の形式ではないが，著者のスタイル
であると指摘しました．彼女は「wisdom は知識を生み出
す」という表現には疑問を感じましたが，文章は意味を伝
えると同時に個性があってよい，という意見でした．私た
ちはポッターのような文章で本を書くのは容易ではありま
せんから，あまり「かっこよい」表現はしない方がよいで
しょう．後が続きません．

　同様に曖昧さを避ける意味で，受動態は注意して使って
います．**苦労して得た新しい発見をしたときには**，気負った
表現をしたくなり，英語の表現で言うと were found to
be, observed to be, are measured to be などを使いがち
ですが，それぞれ were, is, are としています．その他に
書くときに注意している点をまとめておきます．これらに
関しては大学院生や教員に繰り返し指導してきましたが，
なかなか身につきませんでした．

① 形容詞と副詞はそれぞれ名詞と動詞を修飾します
　　が，注意して使っています．例えば，

　　　　every, each, individual, very, also, extremely, ac-
　　　　tually, basically, generally, individually, really,
　　　　practically, virtually, kind of, in my opinion, as
　　　　much as possible

　などはできるだけ使わない方がよいでしょう．

② 重複した表現は，かえってわかり難くなるので注意

しています．下の文章ですが，

The same type of enzyme is also found in the
plasma membrane of renal epithelial cell.

文章は誤りとは言えませんが，同じタイプの酵素（下
線のところ）と前に書いているので，次の also は省
くようにしています．また，この部分は The same
engyme とか Similar cngyme で始めてもいいでしょ
う．なお，epithelial cell は上皮細胞です．

③　英語に自信があると，かっこいい表現を使いたくな
ります．例えば，"I am in agreement with……" と
書きたくても，単純に "I agree with……" と簡単な
一つの動詞の方がのぞましい．強調したくなって，

"basic and fundamental idea", "various different
methods"

和訳すると「基礎的な根本的な考え」，「いろいろな異
なる方法」などと書きたくなりますが，繰り返しは冗
長な表現になるのでやめています．どうしても生兵法
になります．

④　カタカナ言葉は要注意です．書くときよりも話すと
きの注意かもしれませんが，英語にはないことがある
ので注意しています．例として，カタカナ言葉と対応
する英単語を括弧内に示します．ピンセット（for-
ceps），シャーレ（petri dish），ホチキス（stapler），
ボールペン（pen），シャープペン（mechanical pen-
cil），チューブ（tubing），レントゲン（X-ray），カル

テ（chart），エコー（supersonic），アレルギー（aller-gy），オーダーメード医療（personalized medicine）などたくさんあります．ちなみに試験管は tube です．同様にアミノ酸や酵素など生物で使う専門用語も要注意です．

⑤　自分の書いた原稿を何度も読んでいると，簡単なミスに気づかなくなります．自動詞と他動詞の違い，関係代名詞で始まる節には注意をします．次の文章はどうでしょうか．

> The biological membrane is a double layer of lipids, which act a barrier to the polar molecules and ions.

一見すると正しい英文ですが，2ヶ所に間違いがあります．which は副文章（節）の主語としてすぐ前の lipids ではなく，もっと前の membrane（膜）を受けています．したがって，節の動詞は acts でなければいけません．これは自動詞ですから，目的語を取れないので，acts as a barrier（障壁として）としなければいけません．和訳すると

> 「生体膜は脂質の二重層で親水性の分子やイオンの障壁として機能します」

となります．

内容を知らせるタイトル

それでは執筆を始めましょう．論文やレポートで読む人

が最初に目にするのが，タイトル（題名）です．タイトル
というと，夏目漱石の「吾輩は猫である」を思い出しませ
んか．俳句雑誌『ホトトギス』の目次を広げて，「第一
話　吾輩は猫である，名前はまだない」を見つけると，読
者は「これは何だ」と思います．吾輩と名のる偉そうな
猫，どこから来たのかわからない，名前のない猫，「これ
は面白そうだ，読んでみよう」とさっそく読み始めた人が
多かったでしょう．ユニークなタイトルは大成功でした．
現代でも漱石といえば「猫」です．

　新聞や雑誌の記事，評論，著作，小説，科学の論文やレ
ポート，総説や解説などを執筆するときにも，始めのタイ
トル（題名）は大切です．読んでもらえるか，無視される
かが決まります．論文にとっての最初の関門です．

　　　　make or break situation

これはタイトルの重要性を示す英語の表現です．日本語に
すると

　　　　「成功するか，失敗か，が決まるのはタイトルです」

タイトルは短い文章やフレーズ（phrase）で，内容を適切
に表現します．長くならないように，150文字（Letters）
以内と決めている学術論文誌もあります．論文の書き方の
本には，

　　　　Write an informative title

とあります．意訳すると

　　　　情報に富み，内容がよくわかるタイトルを書くように

でしょう．タイトルには論文の新しさと内容を反映する言

葉を入れ，簡潔で特異的なものにします．不特定多数の読者に宛てて書きますが，できるだけ広い分野の科学者に読んでもらいたいものです．「新しい化合物や特有な現象」，「メカニズムの解明」を報告していることが，はっきりとわかるように工夫します．タイトルとは別に4～5文字の短い見出し（Running title）をつけるように求める学術誌があります．

タイトルは論文の新しさを目に見えるようにし，結果が重要であることを述べている宣言です．簡潔で，目に留まるものを考えます．例えば，酵母の研究者が論文に，「水素イオンの分泌機構」という題名をつけたとしましょう．解説や総説としてはよいのですが，論文としては一般的で簡潔すぎますから，研究内容を反映する特異的な言葉を2～4つ入れて，もう少し丁寧にして，「酵母がエネルギーを使って，水素イオンを細胞外へ分泌するメカニズム」とするべきでしょう．

始めから適切なタイトルは思いつきませんから，原稿を執筆する過程で何度も考え，強調する点を検討して考えていきます．全体がほぼできあがってから最終的に決めます．書くに備えて，関連する分野の論文のタイトルと内容を普段から検討しておくとよいでしょう．

私が書いた論文のタイトルを改めて振り返りますと，「もう少し考えた方がよかったな」と思うものもあります．博士課程でネズミの肝臓（Rat Liver）からホスホジェステル結合を切る新しい酵素（Phosphodiesterase）を発見

し，たくさんのタンパクの中からこの酵素だけを取り出し
（精製，Purification），特異的な性質（Properties）を明ら
かにし，報告する論文を書きました．はじめは，「ラット
肝臓のホスホディエステラーゼの精製と性質」というタイ
トルにしたのですが，平凡でどうも訴える力が小さいと感
じ，最終的に

A New Phosphodiestcrase from Rat Liver

「ラットの肝臓にある新しいホスホディエステラーゼ」
新しい酵素を発見したことを強調したかったので，New
を入れました．共著の教授は新しさにこだわる私の意欲
に，すぐに同意してくれました．幸いにも，アメリカの生
化学・分子生物学会の論文誌『J. Biol. Chem.』に審査を通
って掲載されました．この論文誌に日本からの投稿が採択
されることが少ない時代でした．

　しかし，ある先生が論文を読んで，「研究者が報告する
のは新しい結果ですから，題名に『新しい』と書くのはお
かしいですよ」と言われ，調べてみると，「新しい」を入
れた論文はあまり多くありません．「なるほど，ごもっと
も」と反省しました．同じ学術誌の投稿規程にしばらくは
「New とか Novel のような言葉はできるだけ使わないよう
に」と書かれていました．

　私たちは ATP 合成酵素の研究をタンパクから遺伝子ま
で詳しく進めてきました．その一つ，スタンレーと二人で
大腸菌（*Escherichia coli*）の ATP 合成酵素の F1ATPase
とよばれる部分をバラバラにし，構成している五つのサブ

ユニット（isolated subunits）を取り出して，それぞれの
性質を検討し元の F1ATPase を再び作った（再構成，re-
constitution）論文を 1980 年に出しました．タイトルは

> Reconstitution of a Functional Coupling Factor
> from the Isolated Subunits of *Escherichia coli*
> F1ATPase.
>
> 「単離した大腸菌の F1ATPase のサブユニット（タ
> ンパク）から機能を持つ共役因子の再構築（再構
> 成）」

論文は実験して得た新しい結果そのままをタイトルにして
います．

　私たちの最近の論文のタイトルを振り返りますと，結果
の新しさを強調する内容にしています．例えば，
「V-ATPase（水素イオンを輸送する酵素）のサブユニッ
トのうちの *a*3 イソフォームが細胞内小器官（リソソーム）
を細胞質で輸送するのに必須である」ことを発見した仕事
のタイトルでは

> Essential Role of the *a*3 Isoform of V-ATPase in
> Secretory Lysosome Trafficking via
> Rab7Recruitment（Matsumoto et al. 2018）
>
> 「V-ATPase の *a*3 アイソフォームはリソソーム（細
> 胞内小器官）の細胞質内輸送（細胞内トフィッキン
> グ）に必須の役割を持っている」

Essential を入れて，結果の新しさと重要性を強調してい
ます．もうひとつを見ましょう．

Porphyromonas gingivalis is highly sensitive to in-
hibitors of a proton-pumping ATPase (Sekiya et al.
2018)

「歯周病菌（*Porphyromonas gingivalis*）の水素イ
オンを輸送する ATP アーゼの阻害剤に感受性が高
い」

highly sensitive という表現で，結果の新しさを強調して
います．このように最近の論文のタイトルには新しい点を
示すキーワードを加えました．

　ここで取り上げている V-ATP アーゼ（液胞型 ATP ア
ーゼ）は水素イオンを輸送して細胞小器官の内部，がん細
胞や骨組織の細胞の外側を酸性にしています．この酵素は
たくさんのサブユニットからできていますが，その中の *a*
サブユニットにはアミノ酸配列が異なる *a*1, *a*2, *a*3, *a*4
があります．これらはアイソフォームとよばれ，酵素の機
能には同じ役割をしています．四つのアイソフォームは
V-ATP アーゼが特異的な細胞や細胞内小器官に局在する
ための役割を担っています．それぞれが特異的な多様な役
割をしています．

　総説のタイトルは論文のそれとは異なり，かなり一般的
になります．研究室の仕事を中心に総説をいくつも書きま
したが，

ATP SYNTHASE (H$^+$-ATPase) : Results by
Combined Biochemical and Molecular Biological
Approaches (Futai et al. 1989)

　　「ATP 合成酵素：生化学と分子生物学を組み合わせ
　　てアプローチ」

とタイトルをつけた総説（Annual Review, 1989）では
ATP 合成に対する新しいアプローチとその結果をまとめ
ました．ウラジミールと共同で執筆した総説のタイトルは

　　The V-type H⁺ATPase in vesicular trafficking:
　　targeting, regulation and function（Marshansky et
　　al, 2008）

日本語に訳すと，

　　小胞輸送（細胞内の小胞のトラフィッキング）にお
　　ける V-ATP アーゼ役割：ターゲティング，調節，
　　機能（Curr. Opin. Cell Biol., 2008）

として，細胞内の小胞の輸送における V-ATP アーゼの役
割をまとめました．いずれも幅広いタイトルをつけていま
す．

　執筆は要旨，イントロダクション，研究結果，ディスカ
ッションと進めます．これは書く順序とは考えないで，そ
れぞれを参照しながら執筆を進めます．

著者になれる人は

　小説やエッセイと同じように，私たちは論文を読むかど
うかを著者によって判断することがよくあります．いつも
重要な発見をしている研究室から出される論文は多くの人
が読みます．このような研究室を誰もが作りたいと思って
います．

　著者として，複数の名前が並んでいることがあります．
いずれも研究に対して知的・技術的な貢献をしています．
すなわち，仮説や理論を考え，研究を計画し，実験してデー
タを得て論文を執筆する，などの本質的な役割をしてい
るのが著者です．一般的には，最も貢献した研究者が筆頭
著者（first author）になり，研究室を主宰している教
授・主任研究員が最後の著者になります．最近では，論文
に対する各著者の貢献を脚注に示している論文誌もありま
す．研究には経済的な支援が必要ですが，それぞれの著者
が受けている支援が脚注に示されています．

　この人を著者にしておくと論文が受理されやすい，研究
費がもらえるかもしれないなどと考えて，研究に貢献して
いない人を著者にすること（ギフト・オーサーシップ）が
ありましたが，科学者の倫理に反しています．逆に資格の
ある人を著者にしない場合（ゴースト・オーサー）もあり
ますが，このようなことがあってはいけません．

2 ストーリーを導入する

簡潔で内容ある要旨

　ほとんどの論文，レポートや報告書は，著者のタイトル
の次には簡潔に書かれた要旨があり，イントロダクション
が続きます．内容を短くまとめた要旨，英語では Ab-
stract, Sinopsis, Summary などと呼ばれます．読む人が
最初に目にするセクションですから，執筆には緊張しま

す.

要旨は概要ですから,論文の内容を短く説明します.学術論文誌によっては,投稿規定に150語（words）とか250語以内で書くよう求められています.文字数の制約があると,書くのは容易ではありません.

アメリカ人が1分間に読める単語数をまとめた統計によれば,平均的な大学生で450語,大学教授で675語,日本人の大学生では80～100語のようです.したがって,要旨は同じ分野の人が1～3分間で読めるようにと考えられています.

要旨は論文を検索する上でも基本キーワードになりますから,新しい点は忘れないですべて書いておきます.論文を読む人に「重要な研究結果だ,詳しく読もう」と納得してもらうことを目指します.

DNA,RNA,mRNA,ATPのような一般的なものはよいのですが,研究室や特定の分野で使っているような略語は用いないで,要旨を読むだけで論文全体が理解できるようにします.全体を執筆する上での方針にもなりますから,最初はあまり長さを気にせずに執筆し,原稿の大部分が完成してから,改めて要旨を検討し最終的なものとします.

実際に要旨を見てみましょう.私が博士課程で出した『J. Biol. Chem.』の要旨は,「新しい酵素（Phosphodiesterase）をラットの肝臓から生成した」という文章から始め,反応の最適pH,熱に対する安定性,基質特異性（反応す

る化合物）など酵素の性質を 110 語ほどでまとめていま
す.

　同じ『J. Biol. Chem.』にスタンレーと二人で 1980 年に
出した論文の要旨では，方法を改良して大腸菌の F_1 の五
つのサブユニット，α，β，γ，δ，ε を精製したことから始
め，「α，β，γ の三つを混ぜると ATP を加水分解する
α3β3γ の複合体ができ，これに δ と ε を加えると F_1 がで
き，Fo とともに ATP 合成酵素になります」と書いていま
す. この結果によって今までになかった研究ができるよ
うになりました. 要旨では，特に強調しませんでしたが，
論文を読み進めるとはっきり新しい結果がわかるような書
き方をしました.

　いずれも，得られた結果を中心に述べ，タンパクのレベ
ルの仕事だったこともありますが，当時の傾向として生物
学的な意義にはあまり言及していません.

　最近の多くの論文では，**仕事の問題提起**と**生物学的意義**に
言及しています.『J. Biol. Chem.』のホームページから，
2022 年 9 月末に印刷中の論文 15 を無作為で選び要旨を読
みました. 長さは 136〜250 語で平均すると 223 語，すべ
てが共通の形式を取っています. 最初の 1〜2 の文章は研
究対象の生理学的な役割，情報伝達，細胞の応答などの背
景を問題提起し，得られたデータを中心に結果を説明して
います.「……を精製，……遺伝子を取得，……の分子メ
カニズム解析，……の遺伝の転写を比較した，……の効果
を調査（研究）した」などで始め，その後でデータを要約

し，新しさ，解釈や考察をまとめます．最後の一文で，発表した知見・発見（results, data, study, findings）の生物学的な意味を強調して終わります．結果から仮説を述べるような表現（In conclusion, we demonstrate……）もありました．このような形式をとる学術誌が多いのです．

背景と問題提起

要旨に続いて，いよいよ IMRD（Introduction, Materials/Methods, Results, Discussion）の四つの部分（セクション）を執筆します．ほとんどの論文誌では

イントロダクション → 材料と方法 → 結果 → ディスカッション

の流れで書かれています．材料と方法は，最後に書かれている学術誌もあります．短い論文では脚注に書かれています．

結果のセクションから執筆し始めてもよいのですが，ここではイントロダクションから解説します．日本語でいう「はじめに」あるいは「序論」や「序説」です．音楽で言うと導入部や序奏，オペラの序曲でしょうか．要旨の3〜4倍の分量になるのが普通で，要旨の拡大版と思われるかもしれませんが，問題提起から研究の始まりを説明し，結果をまとめ簡単な解釈を書く部分になります．

まず，執筆する研究結果に関連する分野の総説や論文，仕事の枠組みに関係する文献を手元に置いて，必要に応じて引用します．最初のパラグラフでは，執筆する仕事に関

係する「背景・領域」を紹介し,「未知な現象と関連する分子」,「理解できない反応の実体とメカニズム」などを指摘し, なぜ解決しなければいけないのか, 研究する根拠 (rationale) などに続けて疑問の内容を細かく分析し, 明らかにするべき点を問題提起します. どのように解決していくか整理し, 方法を挙げます. 研究結果である新しい発見をまとめてイントロダクションを終えます.

　第3章で述べましたが, ワトソンとクリックの論文では DNA の構造 → 二重ラセン → セントラルドグマというストーリーの流れが, そのままイントロダクション → 結果 → ディスカッションとつながっていくのがわかります.

　イントロダクションは, 研究を始めたときから時間を追って仕事の解説をするのではなく, 問題の提起と仕事の背景と課題を整理し, 明らかにしたい疑問に出会った時点に立って, そこから得られたデータの「新しさ」を読む人に納得してもらうことを目指しています. 全体を通じて, 新しいデータを得た興奮が読者に伝わることを目指します.

　論文が審査されるときには, イントロダクションが「結果」のセクションに書かれるデータにどのように反映するかを判断されます. 編集者 (Editor) や査読者 (Referee) をした経験によりますと, 英文は上手に書けていますが, 研究の背景・問題提起から結果に至る書き方が悪く, 発見の新しさを納得できないことが度々ありました. そのような論文では,

・研究の目的がわかりません

・論文のどこが新しいのでしょうか

・あなたが明らかにしようとする疑問がわかりません

などと書かれて改訂を求められるでしょう．このような審査意見が出る場合はイントロダクションが十分ではない，あるいは結果に対応しないことが多いのです．大切なのは研究の筋道と論理がはっきり示されており，対応する発見の新しさが示されていることです．

材料と方法，そして引用と謝辞

　論文を執筆するなかで，あまり苦労しなかったのは，研究材料と方法のセクションでした．構成や論旨の展開に難しさがないからでしょう．一般に，Materials and Methods, Methods あるいは Experimental Procedures と呼ばれるセクションで，結果の前あるいは論文の最後に書かれています．同じ分野の研究者がデータを再現するために必要なセクションですから，細部まで気を遣います．小見出しをつけながら，使った反応の測定法や分析法，タンパクや酵素の調製などを書きます．一般的なものは簡潔に書き文献を引用し，自分たちが工夫した方法や新しく開発した方法は詳しく述べます．使った試薬や薬品は製造した会社を書き，特殊なものは製造番号も書いておきます．

　文献は材料や方法だけではなく，論文全体で引用しますが，一般に参照文献（References）としてまとめリストとして論文の終わりにつけます．論文誌によって形式が違う

ので，投稿規定を確認します．

　私が審査委員として投稿されてきた論文を読んで，「すでに出されている関連した先人の論文を公正に引用するべきである」と指摘したことが何度もありました．自分の仕事の新しさを強調しようとして，先人の仕事を引用しない著者がいました．いずれ読む人にわかってしまいますから，これはダメです．

　近年では自分の仕事に関係する論文の著者，題名，発表されている学術論文誌，ページなどを整理しておくソフトがあるので，参照論文リストを作るのは楽になりました．自分および他の研究者の印刷中の論文（in press）や未発表の発見（unpublished, personal communication）も必要に応じて引用します．

　多くの場合に引用文献の前か後に謝辞を書きます．実験を担当した技術者，未発表の実験方法や結果を提供してくれた研究者，議論をして貴重な意見をもらった同僚や知人には謝辞を書きます．コーネル大学の生物学科では夏休みに学部学生が研究を手伝う実習がありましたが，謝辞を必ず書くようにしていました．これは学生が次の進路に進むためにプラスになりました．

3　結果を示し，解釈する

整理して「結果」を書く

　イントロダクションを終えたところで，Results（結果）

と Discussion を執筆します. IMRD の R と D です. 何より大切なのは, 自分の仕事が客観的に「新しい」ことを納得してもらうことです. 二つのセクションを併せて考えて執筆を進めるのがよいでしょう.

結果のセクションは論文や報告書の中心ですから, 執筆には十分に時間をかけます. 新しい発見を示しているデータやコントロール (対照), 関連する分野の論文などを整理するのが, 執筆する最初のステップです.

科学論文では結果を示すのにイラスト (illustration) として図 (Figure), 表 (Table), 写真, 模式図などを使えることが大きな特徴です. イラストは結果を示すのに強力です. 例として生物以外で身近なものを挙げましょう. 御嶽山の噴火のすごさを示すのに, 文章で書くよりも1枚の写真が強力です. 科学論文としては, 続いて噴火の続いた時間, 噴煙の高さや体積, 噴石や溶岩の性質などのデータは図や表で数字として示すことが必要でしょう.

次に惑星の大気を比較する論文を書くとしましょう. それぞれの惑星の大きさや大気中にある N_2, O_2, CO_2, H_2, SO_2 などの成分を説明するには文章だけでは不足で, 表が欠かせないでしょう. さらに, 数字を棒グラフで示すと一目で各惑星の比較ができます. しかし, 各惑星のデータをすべて棒グラフにしますと, 広いスペースを取ることになります. スペースあたりの情報量は表のほうが多いことになります. どちらにするかは,「何が言いたいか」によります. すべてのガスを表で示し, 特に話題にしたいガス,

例えば大気中の CO_2, を棒グラフにするとよいでしょう.
イラストは明らかにしたいことを読む人に理解してもらう
ように工夫します.

　イラストは多すぎても重点がわかり難くなりますから厳
選します. データを図とする場合には, 棒グラフと折れ線
グラフのどちらにするか, 別の形にするか, データを示す
シンボル (○, ●, △, □などのマーカー) の大きさ, 相
対値にするか, 測定誤差を示すか, 表では何桁の数字がよ
いか, 例えば5桁の数字で比較する必要があるか, 2桁で
よいか, を考えます. 図の縦軸と横軸ですが, 何を言いた
いかによって工夫します. 思考実験ですが, 縦軸はそのま
まで横軸を変えてみてください. 横軸が広がると, 図は一
般的に冗長になります. また, 縦軸に＝を入れることがあ
りますが, これは差を強調することになりますから, 不自
然な誇張はしないように注意します.

　表についても, 測定値は何桁の数字にするか, 例えば5
桁にする必要があるか, 2桁でよいか, 誤差を示すか, コ
ントロールは必要かなど検討します.

　顕微鏡の写真では広く全体を見せ, 次に強調する部分を
高倍率にして見せるなどの工夫をします. 遺伝子や突然変
異では DNA 断片の電気泳動と塩基配列をどう示すかな
ど, 多くのことを考えます.

　イラストの脚注 (Legend) には適切な説明を書きます
が, 実験方法を簡単に書いた方が読者の理解を助ける場合
があります. 脚注がそろったら, 中心となる最も重要な発

見，新しいデータの図や表を中心に，その前提や支持する
イラストを並べていき，論文のストーリーを作ります．こ
の段階で不足しているデータに気づいたら補います．

　並べたイラストを見ながら話の進め方を考え，「結果」
の執筆を始めます．すでに書いているイントロダクション
の論旨が参考になります．

　はじめに，適切なイラストとともに簡単に研究の背景を
示し，明らかにするべき疑問や問題提起，答えるための方
法と条件決め，研究方法や予備的な検討結果を示します．
それぞれの図あるいは表から言える（indicate），示唆する
（suggest）などを簡単に書きます．

　長くなる場合には小見出しをつけて論旨をわかりやすく
し，ストーリーを進めていきます．複数のパラグラフにな
りますが，いずれにも簡単な前置きをし，論理の展開をわ
かりやすい構成にし，新しい発見であることを読む人が納
得するように進めます．

　結果のセクションが終わったところで，イントロダクシ
ョンで提起した問題に答えていることを再度確認します．

解釈し展望する

　　Discussion should focus on the interpretation of Re-
　　sults rather than repeating information from the Re-
　　sults.

アメリカで出されている「論文の書き方」の本をいくつか
読むと，このように書かれています．すなわち，ディスカ

ッションでは「結果」で示した一つ一つのイラストに基づいて，データが示す結果を繰り返すのではなく，結果のセクションで示した新しい発見を**解釈し**，**今後の研究の展望**を執筆するのです．ディスカッションは IMRD の最後の段階ですが，論文を執筆する過程で最も難しいセクションと言ってよいでしょう．データが意味することや示唆すること，解釈とその限界，さらに推定することや提案する新しい考え方や仮説などを述べます．新しいメカニズムや関与するタンパクの機能を説明する模式図をつけることもあります．同時に，関連分野の論文や総説などを引用しながら，報告した結果の新しさを強調します．

「将来の研究が必要である」といった漠然とした言い方ではなく，どのような発展が考えられるか，どんな分野に貢献するのかを推定して書くのがいいでしょう．

しかし，結果とあまり関係ないことを書いたり，関連が少ない他の研究と比較して詳しく分析するのは避けてきました．イントロダクションで述べた問題提起が，結果で示したデータでどのように答えられたかを議論するのです．

英英辞典を見ると，discussion の意味は consideration of a question ですから，「疑問を考える」こと，議論，討論，推測などの意味になります．さらに動詞 discuss の意味を 4 冊の英英辞典で調べたところ，詳しい説明には違いがありましたが，いずれにも talk about が書かれています．したがって，論文の Discussion は新しい結果を解釈し議論して，**理解してもらう**セクションと考えてよいでし

ょう．推測や思索を加えて，著者の個性が出せるところで
もあります．

　私が論文を書き始めた頃は，ディスカッションはイラス
トを引用しながらデータを説明するセクションだと教えら
れました．図表をしっかり引用しながら，得られた結果を
考察するようにとも言われました．しかし，これらは結果
と重複します．

　執筆する前に同じ分野のごく最近の優れた論文のディス
カッションを読んでおくといいでしょう．多くの論文を読
むとわかりますが，このセクションは日本語の「考察」以
上の意味があります．例えば，私はコーネル大学時代に，
新しい方法で膜にある二つの酵素を精製しました．界面活
性剤を使って膜から溶け出てきたタンパクの中から酵素を
取り出しきれいにして反応の性質を明らかにしたのです．
この論文のディスカッションでは「膜からタンパクを精製
する一般的な方法の可能性」，「精製した酵素の新しさと細
胞膜における役割」を議論しました．

　また大腸菌から ATP 合成酵素の膜から突き出している
部分（F_1）を精製した論文では，全体から外れてしまうタ
ンパク（δサブユニット）は精製した部分が膜へ戻るのに
必須な役割を持つという解釈を中心に書きました．

　第3章で読んだワトソンとクリックの DNA の構造の論
文では，二重ラセンから考えられる複製や転写の過程が，
ATP 合成酵素の論文では反応のメカニズムと分子の回転
がディスカッションの中心でした．

　研究の斬新な点や独創性を読者に納得してもらったと確信したところで，最後に簡潔に数行の結論を書いてディスカッションは終わります．

執筆を終える

　ディスカッションを執筆し終わると，原稿はほとんど完成です．しかし，何度も書き直し，推敲しているので，データの示し方の間違いや言い過ぎがわからなくなりがちです．原稿は机の引き出しに入れて，しばらく置いておくのがよいでしょう．2〜3週間してから原稿を取り出して，他の人が書いたと考えて批判的に読んでみると，論理がおかしい，ディスカッションしすぎている，ここは文章が一つ抜けている，このパラグラフには一文を追加する方がよい，などに気がつきます．文法的な間違いにも気づきます．なんと動詞や目的語が抜けていることに気がついたこともありました．改めて原稿を見て，

- イントロダクションで提起した問題に結果が得られているか
- ディスカッションには新しい解釈が書かれているか
- データの示し方は論理がとおっているか
- 書いたことは正確で適切か
- 提案した新しい仮説は理解してもらえるか

などを共同研究者と検討し，同僚にも読んでもらって批判を聞きます．コーネル大学の研究室では論文の原稿ができあがると，少なくとも二人の研究者に読んでもらうのが習

慣になっていました．異なる分野の研究者に原稿を読んで
もらうと，仕事の原点から考えた貴重な意見がもらえまし
た．

　必要に応じて，母語話者に英文を検討してもらい，改訂
して投稿します．投稿する前に英文校閲を求めている学術
誌もあります．十分に検討した原稿には，

> Grammatical revisions throughout the manuscript
> are needed.

などのような，全体の構成や文法的な改訂を求める審査意
見はつかないでしょう．

　論文の執筆について考えてきました．IMRD 形式の論文
で結果（R）とディスカッション（D）のセクションは密
接に関係するので，一緒にして Results and Discussion と
することがあります．

4　原稿ができあがったら

数多い論文誌と JIF

　原稿が完成したところで，投稿します．誰でも国際的に
評価の高い論文誌に研究を発表したいと思います．たくさ
んの論文誌，加えて電子ジャーナル（E-journal）や Open
access journal（オンライン上にあり，掲載が無料で閲覧
に制約がない）があります．できるだけ広い読者層を持
ち，該当する分野で定評があり，国際的評価の高い論文誌
に投稿します．論文の採択率や読者数などがわからないと

不安になりますが，タイトルと要旨などの情報を入力すると，論文誌・学術誌と論文のマッチングを探してくれるサイトがあります．

投稿する学術誌を決めるときの判断の基準の一つになっているのが，**学術誌のインパクト・ファクター**（JIF）です．掲載されている論文が引用された頻度の平均から算出される論文誌の影響度となる指標です．論文の引用数に依存しているので批判もありますが，JIF が高い方が重要性を反映していると考えられています．

自然科学では『Proc. Natl. Acad. Sci. USA』，『EMBO J』（欧州分子生物学機構の学術誌），『Physical Review Letters』（アメリカ物理学会の学術誌）など JIF 10 以上が一流で，『Science』，『Nature』，『Cell』など JIF 20 以上がトップジャーナルと評価されています．JIF の高い学術誌に論文を出すことは研究機関の職位や研究費の支援に影響します．しかし，トップジャーナルに発表されたなかにも，結果が確認できない論文や不正が稀にあります．JIF の低い論文誌に出ている論文にも，優れたものがたくさんあります．『J. Biol. Chem.』は JIF は〜5 とあまり高くありませんが，アメリカの生化学・分子生物学会から出されており，定評があります．長い歴史があり審査過程もしっかりしています．

JIF は偏差値のように，あくまで一つの格付けです．一般的にはある程度の数字（5〜10）の論文誌で，自分の研究している分野で歴史と信用のある論文誌に投稿するのが

よいでしょう．

　論文誌の評価をそのままで人事選考などの資料にするの
はやめた方がよいでしょう．JIF の高い学術誌に論文を多
く発表している科学者が優れているとは必ずしも言えませ
ん．JIF はよく考えて，賢明な使い方をしなければいけま
せん．選考する研究者の一つ一つの論文がどれだけ，どん
な形で引用されているかを知る方が　良い指標になりま
す．もっと大切なのは，安直にファクターの数字によらな
いで，仕事の価値を研究者として判断することでしょう．
独創性の高い仕事は研究者が少ない分野から出されること
が多く，引用されるまでには時間がかかり，JIF に反映さ
れないことがあります．

　もう一つ注意すべきなのは，いろいろな分野で出されて
いる Predatory Journal と呼ばれる学術誌です．日本語で
は Predator は捕食者や略奪者ですから，ハゲタカ・ジャ
ーナルや捕食ジャーナルと呼ばれています．著名な研究者
の名前を編集委員として無断で使い，適当な JIF を書いて
宣伝している場合もあります．学術誌の名称はもっともら
しく，良心的な出版を装っていますが，論文の質的管理に
疑問があります．ほとんどが査読と審査は形式的で，投稿
される論文はすべて採択して出版すると言われています．
なぜこんなことをするのか，良心的な科学者には理解でき
ません．論文を出したいという研究者につけ込み，著者の
支払う論文掲載料を狙っているのでしょうか．このような
論文誌は，読むときも投稿するときも要注意です．

　あるサイエンスライターが AI を使ってデタラメな論文を作り 300 ほどの学術誌に投稿したところ 60% が採択されたという話があります．ライターは急いで論文を回収したそうです．どこまで本当かわかりませんが，日本科学技術情報センターも注意を喚起しています．このような学術誌に論文を出すと引用されないし，研究者としては信用されません．

投稿し発表する

　ここまで論文の書き方について述べてきましたが，論文誌によって，要旨，イントロダクション，結果，引用文献などの書き方が異なることがあります．投稿規定をよく読み，形式を整えて完成します．投稿に当たっては，編集者（Editor）の中から専門が論文の内容に近い人を選び，手紙（Cover Letter）を書きます．研究の内容や新しい点を数行で簡潔に説明し，審査してもらうのに適切な人を推薦し，競争相手や利害関係者には原稿を見せないことを依頼します．ほとんどの学術誌はこの依頼に応えます．カバーレターと原稿を一緒にインターネットを通じて投稿します．

　原稿を受け取った編集者は同じ分野の研究者に審査を依頼し，研究者が論文審査委員（Referee）あるいは査読者（Reviewer）となる Peer Review（同僚評価）というシステムです．最近では審査の過程が迅速になり，新しさや重要性が認められると，3 週間ほどで採択されます．

　また，改訂すれば採択される場合には意見がついてきますから，詳しく検討します．書き方を改め，必要に応じて実験を追加します．査読者の意見が間違っている場合には，はっきりとこちらから指摘します．

　原稿を再び投稿し，妥当であると判断されると採択です．国際的に高く評価されている論文誌は客観的かつ公平ですから，審査の過程を経て論文の質は高くなります．査読者が論文を評価しないと編集者の判断で却下されます．

　　　・報告している内容が新しくない
　　　・仕事が完結していない
　　　・提起をした疑問が解決されていない
　　　・論旨が理解できない

などが却下の理由になります．編集者や査読者の判断が間違っていると考える場合に，腹を立ててはいけません．丁寧に反論します．妥当な意見だと考えたら，大幅に書き直し，同じ編集者の判断を再び仰ぐか，別の学術誌に投稿します．

　採択された原稿は編集の過程を経て，論文として学術誌のサイトに掲載されます．印刷した出版物は少なくなり，現在ではほとんどの論文誌が電子ジャーナルの形になっています．報告した内容が幅広く受け入れられると，総説や論文，教科書などに引用され知識となっていきます．

引用した文献

　1）文中に引用した原著論文はキーワードを入れていた

だければ，Medline, Google で検索できますので省略
しました．興味のある方はこちらから原著に当たっ
てください．

2) G. M. Liumbruno et al. (2013), How to write a sci-
entific manuscript for publication. Blood Transfusion
11, 217-226

3) 二井將光（2020-21）「英語で付き合う科学技術」工
業材料

4) 麻生一枝（2021）『科学者をまどわす魔法の数字，イ
ンパクト・ファクターの正体——誤用の悪影響と賢
い使い方を考える』日本評論社

第6章 研究を語る

　仕事の成果を話すのは，執筆するのと同じように誰にとっても楽しいものです．聞いた人の感想や批判は次の発展に寄与します．

1　さまざまな機会に研究を話す

出会い，そして友人に

　論文やレポートを執筆している間に考えたことは「話す」に役立ちます．私たちは英語で書かれた多くの論文やレポート，評論や解説を読むだけでなく，実験装置や薬品の説明なども丁寧に読んでいます．加えて小説やエッセイを読み，新聞・雑誌やインターネットから身近な出来事や国際情勢に知識を広げています．英語によって外国の研究者と付き合うには，仕事に関係するものだけを読んでいればよいわけではありません．他の分野の人と知り合い，一般的な教養を深めることも「話す」につながります．

　最近ではやさしい英会話が小学校や中学校で取り入れられていますし，教科書も大きく変わっています．しかし，内容のない会話は単なる合図の交換に過ぎません．コミュ

ニケーションとは言えません．第1章で書きましたが，ウィスコンシン大学やコーネル大学で何人ものアメリカ人やドイツ人の友人に恵まれました．そこには登場しなかった二人を紹介しましょう．

中学1年の終わる頃ですが，スタンレー・ロシンスキー（Stanley Losinsky）とペンフレンドになりました．彼の手紙が1ヶ月に一度ぐらいにきて，必死で辞書を引きながらやっと理解し返事を出す，これの繰り返しは大変でした．彼の送ってくれたアメリカの教科書や雑誌は，戦後の貧しい中学生には嬉しい驚きでした．私たちが留学しウィスコンシン州のマジソン市にいると手紙を出すと訪ねてきました．貧しい私たちを土地の最高のレストランに招いてくれ，親しい交際が始まりました．一緒に美術館に行ったり，バーベキューをしたり，親交を深めました．彼の両親にも会い，歓待を受けました．

スタンレーはインディアナ州立大学で英文学を専攻し，修士課程を終えインディアナ州のギャリー（Gary）で高校の英語の先生をしていました．マイケル・ジャクソンの生家の近くにある高校で，黒人の学生に殴られるような苦労もあったそうです．同じ高校の美術の先生，ヴィッキー・トンプソン（Vicki Tompson）とも知り合いました．シカゴでの学会の折には，ビッキーの家で私の15分の発表に2時間以上をかけてリハーサルをしてくれました．英語の表現だけでなく，文章のイントネーション，発音も一字一句直してくれました．今でもEメールを交換してい

ます.

　研究を進めている過程で, 1970 年代の後半に出会った
ジョン・ウォーカー (John Walker, 1941-) の話をしてお
きましょう. 私たちが金澤浩さんを中心に京大の由良隆教
授と三木徹氏の協力で
　　　「大腸菌の ATP 合成酵素の遺伝子が DNA の複製開
　　　始点 (複製が始まる場所) の近くにある」
ことを証明し, ATP 合成酵素のすべてのサブユニットの
遺伝子を含む DNA 部分を明らかにしました. この結果は
広く受け入れられて, 二つの『Proc. Natl. Acad. Sci.
USA』の論文になりました. 研究の過程で私たちが明ら
かにした, 複製開始点から ATP 合成酵素を含む DNA
が, ケンブリッジの MRC のグループの手に渡り, ジョン
が譲り受けました. これをまったく知らなかった私たち
は, ジョンが配列の一部を私たちとほぼ同時に発表したの
に驚きました. まったく連絡もなくフェアーでない彼の姿
勢に腹を立てたのは当然です. それから競争になり全配列
が私たちと彼のグループから同時に発表されました. 配列
を決めるのが大変な時代でした.

　私とジョンはいつも同じ学会やシンポジウムに招待さ
れ, いろいろな面で議論をし, 親しくなりました. 彼は
ATP 合成酵素の $\alpha_3\beta_3\gamma$ 部分を結晶化し, 1997 年に, ATP
合成酵素のメカニズムを提案したポール・ボイヤー, Na^+
K^+ATPase の発見者イェンス・スコウ (J. C. Skou) と一
緒にノーベル賞を受賞しました. 私たちは ATP 合成酵素

反応のメカニズムと，よく似ている V-ATPase の多様な
細胞内機能に注目して研究してきました.

　国際的な会議に出席していると，食事も一緒にしますか
ら，仕事を離れた話もします. 茶道や浮世絵が話題にな
り，ジョンの知識の深さに驚いたことがありました. スウ
ェーデンのボフォースにあるノーベルの家で行われたシン
ポジウムでの緊迫した discussion が続いた後，庭園で彼が
話しかけてきました.

　　「このバラの名前を知っているかい？　ピースと言う
　　種類だ！」

この一言の後，静かに私たちは議論を続けました.

　イギリスのエディンバラの会議が終わって，彼の車でケ
ンブリッジへドライヴし彼の研究室で議論をしました. 途
中でロビン・フッドの墓という案内を見つけ子供の頃の本
が話題になりました. ロビンの墓は何ヶ所もあるという話
になり，日本では近藤勇の墓がいくつかあると笑い話でし
た. コナン・ドイルやアガサ・クリスティーに凝っていた
のもプラスになりました. このような経験を通じてジョン
とは競い合っていましたが，親しくなりました. 現在も学
会の議論や年賀状やクリスマスカードの交換など交際が続
いています.

話すのは不完全英語でよい

　英語の話し方をまとめておくのは本書の目的ではありま
せん. ここは会話の教科書に譲ります. しかし，いくつか

勉強してきたことを述べましょう.

　ウィスコンシンでフランシス・シャイデルと知り合ったのは, 私にとって大きな財産になりました. 彼女はイリノイ大学で英文学とロシア文学を専攻し学位を取得していました. オランダに留学経験があり外国語に接する難しさを知った上で, 論文の文章から会話まで, 英語の深さと難しさを教えてもらいました. 知り合ってすぐに,

　　「あなたは谷崎をどう思いますか, ツルゲーネフは好きですか」

など尋ねられ驚きました. ラフカディオ・ハーンや岡倉天心や新渡戸稲造による英語の著作は言うに及ばず, 翻訳された日本文学はほとんど読んでおり, 一緒に日本文学の話をするのは楽しい経験でした. 文学に通じているだけでなく, 自分の意見をきちんと話す教養の深さに感心しました. 彼女は後にシアトルに移ってからは大学で生物系の研究室の秘書をしていました.

　外国語を話すときには誰でも文法が気になります, これを避けるのは文章ではなく単語や簡単なフレーズ（節）が役に立つ, というのがフランシスの意見でした. まだアメリカ生活に慣れない私たちへの配慮だったのかもしれません. 1970年の私たちの最初のアメリカ旅行は, サンフランシスコ空港に到着し, 翌朝の便でシカゴに行くことにしていました. 小さな土産物店でコインに両替してロッカーに荷物を預け, バスで Beverly Plaza Hotel に行き, チェックイン, 翌朝食事をして再び空港へ行き, アメリカン航

空のシカゴ行きのゲートに行き搭乗．ここまでを英語で

- Change for a dollar?　（ドル札からコインへ両替）
- I have reservation for tonight.　（ホテルにチェックイン）
- Tomato juice and scrambled egg please.　（朝食はトマトジュースと卵）
- Airport please.　（タクシーで空港へ）
- We fly on American.　（アメリカン航空で）
- Gate to Chicago?　（シカゴ行きのゲートへ）

これでシカゴまで行けました．不完全文章はなかなか使えると気づかれたと思います．

　ウィスコンシン（マジソン市）で仕事を始めてからも，不完全文章に接していました．帰ろうとしているときにボスがやってきて

　　　What's new today?　What's up?

と聞きました．日本で学んできた英語の枠の外にある，いかにもアメリカ的表現でした．このような不完全文章の例

表6-1　会話でよく使われる簡単な文章や不完全な文章の例

[会ったとき，別れるとき，など]

Good luck.　うまくいくといいね．

Hi!, Hello!　（相手の名前を次に入れてもよい）

Have a nice day.　良い一日を．

See you soon., See you tomorrow.　さよなら，またね，明日ね．

Take care.　気をつけて．

How about a walk?　散歩に行く？

Hurry up, we're late.　急いで．

You too.　あなたも．

［仕事場で］

Any trouble?　何か問題が？

Anybody here?　誰かいますか？

Anything new?, What's new today?　何か新しいことは？

How are things?, How's it going?　うまくいってる？

Got it?　わかりましたか？

Is he around?　彼はいますか？

Leaving now?　帰りますか？

Need help?　助けが必要ですか？

Ready to start?　始めましょうか？

No Way.　ダメだ．

So what?　それで？

Why not?　どうしてダメなの？

Can't understand　理解できない.

What's the trouble?　何かあった？

What's up.　（最近）どう？

Great idea!　素晴らしいアイディア！

Totally cool, That's cool, Fantastic, Fabulous, etc.　素晴らしい

Got message?　伝言を受け取った？

[食事，飲み物など]

Any preferences?　どれがいいですか？

Anything to drink? あるいは Beverage?　飲み物は？

No thanks, nothing for me.　結構です，私は何もいりません.

Enjoy dinner.　夕食を楽しんでください.

Got enough? あるいは Had enough?　十分でしたか？

The bill please.　あるいは Check please.　請求書をください.

Separate check, please.　会計は別々で.

What's the special?　特別に何か？

What's your favorite?　何がお好きですか？

を表にしておきました（表6-1）.

　話すとなると，気になるのは発音です．英語では母音が20以上あり，しかもアクセントがあります．これは日本人にとって大変なことです．日本語の母音は五つでアクセントもありません．ここは学校で習った英語で根気よく繰り返し話す，聞くことから始めます．会話を続け勉強していくことでしょう．母音・子音の繰り返しが多いので，カタカナ言葉を欧米人が理解できないのは当然です．マクドナルド，ハンバーガー，フライド・ポテト，いずれも通じません．インターネットで「マクドナルドの発音」と入れると母語話者の発音が聞けますので試して下さい．生物化学の日本語の教科書に出てくるアミノ酸，遺伝子，細胞小器官，イオンなどの名称，いずれも通じません．これらは欧米人の書いた教科書を読んで，発音を勉強することになります．

短時間でも仕事を話せる

　久しぶりに会った知人に「仕事はどうなった，今何をやっているの？」と聞かれて答えたり，同僚や学生に研究の内容を説明したり，学会で発表したり，会議で報告するなど，いろいろなところで，私たちは自分の仕事を話さなければなりません．話す相手や与えられている時間によって，仕事をどうまとめて話すかは訓練が必要でしょう．

　役に立つのは報告書や論文を執筆した経験です．新しい発見を「ひとことで」話す，これには内容を簡潔に示す論文の題名を考えた経験が生かされます．もう少し長く，5

分間ぐらいで話すときは，要旨とイントロダクションが参考になるでしょう．専門が近い相手に新しい結果を中心に話すときには，論文のイラストとその脚注が役に立ちます．

　コーネル大学ではセミナーや講演に来た研究者を前にして，自分の仕事を説明するのがいわば義務になっていました．レオンに突然言われて，準備もしていないのに話すのに初めは緊張しましたが，慣れるにつれて5分でも10分でも適切に対応できるようになりました．

　　　自分の仕事はいつでも話せるようにしておけ

というのがレオンの教育でした．

　まったく違う分野の研究者からの質問や，意見を求めることは，仕事の発展に結びつきました．この経験から私の研究室でも，訪ねてくる科学者と院生や職員が話す機会を大切にしてきました．

講演は20分間でも，1時間でも

　私たちはいろいろな機会に講演をします．学生や大学院生に向けた講義，外国の大学で行う招待セミナー，学会の講演やシンポジウムの発表，関連企業での講演などです．話す時間は40分から1時間で，質問が20分ぐらいでしょうか．

　大学院の2年目に修士課程の仕事をまとめて，初めて20分間ほどの講演をしました．スライドを作るのに苦労し，リハーサルを何度もしたのを思い出します．

　　　・説明が速すぎる，声が聞こえにくい，それは話し言
　　　　葉ではない
　　　・データを指さしながら，ゆっくり話すように
など口やかましく言われ，疲れ果てました．この経験は，
講演するときの原点になりました．

　アメリカの FASEB（（Federation of American Societies
for Experimental Biology）米国実験生物学会連合）の学
会で初めて 15 分の講演をしたときには緊張しました．何
千人も参加する大きな学会でしたが，専門によって会場が
分かれていました．原稿を書き，何度かリハーサルをし，
研究室の同僚に聞いてもらいました．私が話したのは 100
人ほどが出席する生物エネルギーの会場でしたが，予想し
ていた内容の短い質問が二つ出ただけで，答えは簡単でし
た．

　講演の進め方が書かれているサイトがありますが，あま
り参考にはなりません．

　　　アメリカ人は講演をジョークで始め，日本人は言い訳
　　　　で始める
と言われていました．時代は変わっていますが，無理して
笑いを取ってから始める必要はないでしょう．ましてや，
上から目線で話す，自己紹介し自慢話をする，これは禁物
です．講演に自信がないととられがちです．

　外国で講演するときに「私は英語が下手ですから」と言
ってから始める人がいましたが，これもやめたほうがいい
でしょう．下手は当たり前で母語話者にはかないません

し，聞く人は仕事の結果に興味があるのでブロークン・イングリッシュでも理解しようと努力してくれます．ノーベル財団のホームページに受賞者の講演ビデオが出ていますが，母語話者以外は堂々とブロークンで喋っています．自然な形でイントロダクションから話し始め，わかりやすいイラストに沿って話を進めれば理解してもらえるはず．場数を踏むにつれて，英語で話すこと，質疑応答することに慣れます．

　大きな学会では一つのセッションの参加者は少なく，質問や議論の時間はほとんどありません．質問のあるときは，講演の終わった後で講演者に会い，自己紹介をして，30分ぐらい議論したいとアポイントメントを取ることを友人に教わりました．なるほど，これはなかなかうまくいきます．同じような形で私も議論を申し込まれました．

　私がほとんど毎年招待されていたゴードン・コンフェレンスやFASEBが主催する小規模で専門的な会議では，会議だけでなく朝食から夕食まで一緒ですから，出席者全員と詳しく意見交換ができました．ノーベル財団が主催した膜タンパク質のコンフェレンスでは30分間の講演の後で，質疑応答の時間は質問がなくなるまで，ほぼ無制限でした．研究者仲間として親しくなり，50年以上付き合っている人も数多くいます．

　小さなコンフェレンスでの質疑応答では「そんなことも知らないのか」と思うような質問もありました．私が大腸菌のエネルギー代謝の話をした後で，細胞小器官ミトコン

ドリアの高名な研究者から,

　　「大腸菌にはミトコンドリアがないのでよくわからな
　　　い. あなたの仕事の意味を説明してくれ」

といった質問をもらいました. 大腸菌とミトコンドリアは
ほぼ同じ大きさで, それぞれの膜は同じ機能を持っている
ことを説明したところ納得してくれました. 初歩的な質問
ですが, 欧米人は不思議に思ったらすぐに聞く,

　　「こんなことを聞いて, 恥ずかしいのではないか」

とは考えないのでしょう. このような経験をしてから, 私
も疑問を持ったら恥ずかしがらず, 素直に聞くことにして
います.

原稿は読まないで

　発表・講演の前には原稿を用意しますが, 論文を執筆し
たときを思い出してください. まず簡潔に関連する分野の
現状を述べ, その後で最近の成果を説明し「何のための研
究か」を理解してもらい, 「新しさ」を納得してもらうよ
うに話を進めます. 必要に応じて専門用語や実験方法を説
明します.

　どんな学会か, 誰が聞くかを考えて, スライドを作りま
す. 新しい化合物やメカニズムを説明していくイラストが
必要になります. 最近の論文やレポートでは, 一つのイラ
ストにいくつもの図があり, 1ページになることもありま
すから, そのままでは使えません. 話すときには1枚のス
ライドに一つの図とし, 十分に時間をかけて説明し, 理解

してもらうようにします．40分の講演ではスライドは20枚ぐらい，最後に研究（仕事）の成果をまとめたスライドで，新しさと意義を強調します．原稿は準備しますが，書き言葉は長くなりがちですので，話を始めたら原稿から離れて，スライドと聞き手を見て話します．

　日本人，欧米人を問わず，理解し難い講演をする人がいます．その例として，ピーター・ミッチェルを思い出します．第二章で紹介しましたが「水素イオンが生物のエネルギーに中心的役割を果たしている」という化学浸透圧説を出した科学者で，ノーベル賞も受賞しています．ミッチェルは少人数で集まって議論するときには，わかりやすい示唆に富んだ意見を言ってくれました．ところが，日本の学会で聞いたミッチェルの特別講演には失望でした．次々に複雑なスライドが出てくるのですが，彼は原稿を読むのに専念していました．議論をしている部分を指差してくれないので，図と話の対応ができません．

　　「私が原稿を読むから，イラストを見ながら聞いてく
　　　ださい」
と言っているような話し方で，同じ分野の専門家にも難しいものでした．講演では，一つ一つのデータを指しながら，

　　「このグラフの縦軸は……を示し，横軸は……を示し
　　　ている．この傾きは……となっている．したがって，
　　　この図から言えることは……であり，……と結論でき
　　　ます」

といったように，丁寧に説明してほしいものです．同じように，政治家や財界人が原稿を読みながら記者会見をすることがあります，どうも説得力に欠けます．紙芝居屋のおじさんや幼稚園の先生を思い出すと，簡単な絵を指差しながらの熱弁に子供たちは引き込まれました．私たちも話すときは，理解してもらおうという姿勢が何よりも大切です．

　一般にアメリカ人が上手に話すのは，小学校から Public Speaking の授業があるからでしょう．どんなプレゼンテーションをしたら理解してもらえるかを考える教育が充実しています．また，講義や講演で積極的に議論に加わることが評価されます．スタンフォード大学の生化学部門で何回かセミナーをしましたが，大学院の学生の質問が教授よりも本質的だったことがありました．研究の原点から考えた質問でした．

ポスター発表は

　もう一つの「話す」場面はポスター発表です．若い研究者のために設けられたセッションと思われがちですが，欧米の学会では高名な教授も発表をしていました．ここでも紙芝居のおじさんや幼稚園の先生を見習うのですが，講演と違う難しさと楽しさがあります．

　学会のホームページには

　　　　Instruction for Poster Presenter

という指示があるので，演題と掲示するスペース，発表の

時間などに合わせて準備します．ポスターの上部に書くタイトル（演題名）と発表者名は遠くからはっきりとわかるようにします．文字の色と大きさ，背景などを工夫します．字の大きさは1〜2メートル離れても，読める程度にします．論文のタイトルを決める難しさはすでに考えましたが，ポスターでは検討してさらに簡潔なものにします．

研究結果を示すイラストは最も重要なデータを中心にして，数は〜8枚程度にします．いずれも見る人が理解しやすいように工夫します．イラストとして論文のものより簡潔に，口頭発表のスライドよりは詳しくします．説明する文章は論文より簡潔にします．最後に結論をまとめた模式図を出し，その隣に簡潔な要旨を書いておくとよいでしょう．

講演に比べて緊張が小さく，個人的にじっくりと議論ができる時間を大切にしたいものです．私が研究室を主宰してすぐの頃ですが，自分のポスターの前に立っているだけの大学院生がいました．積極的にやるようにと指導するのを忘れていたのを反省しました．学会が終わったところで発表する意義を考えてもらい，次回学会からポスター発表のリハーサルをしました．要旨から仕事全体，イラストから最も重要なデータやコントロール，方法の新しさなどを説明します．質問には的確に答えることを意識してもらいました．タイトルに興味を示した人には声を掛け，5分から10分程度で説明し，質問に答える練習もしました．時間が無制限ではありませんから，聞く人が求めていること

に合わせることを考えてもらいました．質問をする人が少ないときには，自分から議論を持ちかけることを勧めました．

　さらに，詳しい説明を求められるときに備えて，これまでに発表した論文と関係する資料を手元に置いておくとよいでしょう．現在ではインターネットにはポスター発表の方法を説明するサイトがあるので，参考になります．私たちの研究室では学会が終わった後で，どのような質問をされたか，どんな議論をしたかを報告してもらう会をしました．

2　翻訳ソフトは助けになるか

頼りになる？

　科学の成果は英語で報告するのが一般的ですから，母語話者ではない私たちはどうしても苦労します．最近ではいろいろな翻訳ソフトが出ていますから使いたくなります．困ったときに頼りになるでしょうか．

　　①I graduated from college while working part-time.
　　②I have graduated from college while working part-time.
　　③I have worked my way through university.
　　④I graduated from college, having worked part-time as a student.

いずれも日本文「私はアルバイトをしながら大学を卒業し

ました.」を英語に訳したものです. もっとあるかもしれ
ません. ①はインターネットにある無料のソフト（Google
翻訳）が訳したもの, 日本語のアルバイトを working
part-time と翻訳したのには感心しました. ②は私が訳し
たもの,「やりとげた」という結果を示すという意味で現
在完了形です. ③と④は友人のフランシスが訳したもので
す. 彼女によると①と②の差は微妙ですが,

"Have graduated" suggests that there is a larger
context, such as what the speaker plans to do next.

現在完了形にすると「話す人が計画している次の状況（段
階）によりつながりやすい」と言います. フランシスによ
ると, ③と④は口語的な表現ですが, ③は卒業したかどう
かはわかりません. このように翻訳ソフトはよくやってく
れますが, 微妙な表現までは無理でしょう. それでは, 科
学の文章ではどうでしょうか.

「酵母は形質膜を介して水素イオンを細胞外へ分泌し
ます.」

を翻訳ソフトに頼むと,

Yeast secretes hydrogen ions extracellularly through
the plasma membrane.

という答えでした.「細胞最外層の膜である形質膜（plas-
ma membrane）を介して分泌（secrete）」を正しく訳し
てくれました. ほぼ完璧ですが, secretes には細胞外へ分
泌する意味が含められますから, extracellularly（細胞外
へ）は不要です. 他の例を示しましょう.「適切な写真を

すぐに探しましょう」をソフトは,

    Find the right photo instantly.

これでは「探せ」という命令文になりました. 実はこれは
フランシスの英文(第4章)を和訳し, これをソフトに英
訳するように頼んだものです.「人類のコミュニケーショ
ンは《叫ぶ・聞く》から始まりました」という文章はどう
でしょうか. ソフトは

    Communication of mankind began with "shouting
    and listening".

これもイマイチです. of mankind はあまり使いません.
began ではないようです. フランシスと検討しましたが,

    Human communication was started with "shouting
    and listening".

がよいのではないか, という結論になりました.

    二つの論文のタイトル(第3章参照)を試すと, ほぼ正
解でした.「ATP 合成酵素 c サブユニットオリゴマーの回
転:直接観察」は,

    Mechanical rotation of c-subunit oligomers: direct ob-
    servation

実際の論文のタイトルは前の論文では c-subunit oligomers
ではなく the *c* subunit oligomer です. もう一つの論文で
は,「核酸の分子構造:デオキシリボ核酸の構造」を

    Molecular structure of nucleic acid: structure of de-
    oxyribonucleic acid

実際のタイトルは, コロンの後に structure ではなく A

structure です．細かいところは別としてソフトは頼りに
なりますね．

　ところが，お伽噺に戻って，「昔々あるところにおじい
さんとおばあさんが……」から始まる冒頭を訳してもらう
と，おじいさんとおばあさんは grandfather と grand-
mother になりました．これではダメ，祖父母ではありま
せん．別の翻訳ソフト（DeepL）を試してみると，

> Once upon a time there was an old man and an old
> woman.

と正確に訳しました．DeepL は日本文を入れると，複数
の例を挙げてくれますので役に立ちます．

　翻訳ソフトの限界を感じましたので，もう少し検討しま
しょう．大切なのは，ソフトが背景を考えるかどうかで
す．背景によって訳文は変わるはずです．一般的な例から
始めますが，ボストンで美術館に行く途中で道に迷ったと
して，

> 「すみません，美術館（Museum of Fine Art）に行く
> 道を教えてください」

を翻訳ソフトに頼むと，

> Please excuse me, but please tell me the way to Mu-
> seum of Fine Art.

Please は二つは要りませんから，最初の方をとり，コン
マをピリオドにして but は削って，丁寧にお願いする表現
にして，

> Excuse me. Could you let me know the way to Mu-

seum of Fine Art?

とすればよいでしょう．しかし，改めて考えると，この聞
き方はかなり唐突です．私たちは道で初めて出会った人に
いきなり道を聞かないで，美術館の近くをよく知っている
人かどうかを確かめます．ソフトはここまでは考えませ
ん．

　　　Excuse me. Are you familiar with this area?

この辺りを知っていることを確認し答えが返ってきたとこ
ろで，

　　　Could you please tell me how to get to the Museum
　　　of Fine Art?

と聞くべきでしょう．しかし，ここまでは翻訳ソフトは考え
てくれません．もう一つの例として，古書店で気に入っ
た本を見つけ，値引き交渉する場面を考えましょう．この
本を「まけてくれますか」を翻訳ソフトに頼むと，答えは

　　　Will you lose it?

これでは「（勝負を）負けてくれ」と頼むことになりダメ
です．「まける」（値引きする）という単語を知らないが，
どうにかしようとしたようです．そこで DeepL を試した
ところ，

　　　Are you going to give me a discount?

　　　Are you willing to make a deal?

　　　Are you willing to make a compromise?

と三つの例を挙げてくれました．いずれも正しいでしょ
う．「複数のソフトを検討するべき」というのが教訓です．

　もう一つ，Grammarly というサイトを挙げておきましょう．文章を書いている間に，単語や文法の間違いを指摘してくれるので頼りになります．このサイトを使えば「間違いのない英文が書けます」とうたっています．しかし，これも 100% の信頼はできません．サイトを頼りにして書いた論文を母語話者に検討してもらったところ，数ヶ所の間違いを指摘された友人がいます．

　少し脇道に入りましたが，結論として，翻訳ソフトは困ったときにたたき台の文章を作ってもらうのにはよいでしょう．「道を聞く」や「値切る」でわかったことは翻訳ソフトは背景や状況を考えませんから細やかな対応は無理でしょう．おじいさんとおばあさんの例のように，知っている言葉で無理して訳しますから，とんでもない間違いをすることがあります．翻訳された文章は，慎重に検討しなければいけません．これらの点を理解して使えば，ソフトは，私たちが書いたり話したりするときに，助けてくれるでしょう．

　　翻訳機械による翻訳はいろいろな目的——科学的な書類，ニュースの記録，公式声明書——には有効である．しかし，それが文学的表現の良し悪しを左右する，語法の識別までするようになろうとは私には思えないのだ．

と元ハーバード大学教授で日本文学の研究者のドナルド・キーンが書いています．キーンは芭蕉や太宰治をはじめたくさんの日本文学の翻訳をしています．翻訳ソフトは文学

表現にはとても無理だと言っています.

　科学の文章の翻訳でも，ソフトには限界があると思います．特にイントロダクションとかディスカッションなど著者の主張が強い部分は難しいでしょう.

引用したサイトと文献

1) http://www.translate.google.co.jp
2) https://www.deepl.com.
3) https://www.grammarly.com.
4) ドナルド・キーン（2019）『このひとすじにつながりて——私の日本研究の道』（金関寿夫訳）朝日文庫

エピローグ

　私たちは日常で「わからないこと」に出会うと，「知りたい」あるいは「明らかにしてやろう」と思います．些細なことはすぐに解決しますが，長い時間を要してやっと答えが出ることもありますが，いずれも喜びであり人に伝えたいと思うものです．

　疑問に出会い，問いかけ解決し報告に至る過程を考えてきました．プロローグに書きましたが，私たちが毎日やっていることですが，典型的なのは科学者です．本書では地球上の科学の中心は生物であると考え，科学者が生物に向かう姿勢を考えてきました．「何を問いかけるか」から始まり，仕事の目的，方法を考えて観察や実験を重ねて努力し，解決に至ります．毎日の仕事は現場で正確に記録し，データに再現性があるか，疑問に答えているか，新しい発見かどうかを考察します．

　科学者は新しい現象や分子を明らかにしたら，「書き」そして「話して」報告します．レポートや論文の執筆，学会やシンポジウムの講演です．これはインターネットの時代になっても変わりません．科学のコミュニケーションは着実に進歩し，Web 会議も一般的になっていますし，イ

ンターネットを使った国際的な共同研究も進んでいます.
それでも仕事は1分間でも1時間でも話して報告できなけ
れば意味がありません.1ページのレポート,詳細な20
ページ以上に及ぶ論文・報告書を書き報告することが求め
られます.

　このような科学者の毎日の努力は,生命と地球の理解を
深め,生物の生き残りに貢献します.私たちの世界観につ
ながる生命の理解は,大腸菌の遺伝学という基礎的な科学
に始まり,遺伝子の実体と機能の発現,太陽の光と水から
始まるエネルギー転換のメカニズムを明らかにしました.
基礎的な質問から始まった科学の応用は医療から農業に及
んでいます.

　科学は生態系と地球の生き残りに貢献するべく,さらに
大きく発展していくでしょう.ここにも本書で考えてきた
科学の「モノの見方と進め方」が基本になるでしょう.

　さまざまな探究をしていく,そして結果をレポートして
いく上で本書が参考になれば幸いです.

　本書で,引用した私たち研究室の成果は(以下,敬称
略),金澤 浩(岡山大,現・阪大),前田正知(阪大,現・
九大),田村茂彦(阪大,現・九大),岡 敏彦(阪大,現・
立教大),三本木至宏(阪大,現・広島大),和田洋(阪
大),孫/和田戈虹(阪大,現・同志社女子大),岩本昌子
(阪大,現・長浜バイオ大学),表 弘志(阪大,現・岡山
大),Robert Nakamoto(university of virginia),Vladimir

Marshansky（MGH, Harvard University），中西真弓（微
生物化学研究センター，現・岩手医大），關谷瑞樹（岩手医
大）らが中心になって進め，竹山道康（阪大，現・武田製
薬），東雅之（阪大，現・大阪公立大），村田佳子（阪大，
現・サントリー）など多くの大学院生，博士研究員，共同
研究者が参加したものです．

　Frances Scheidel （University of Washington）には英
語の表現について，岡 孝己博士には NIH の研究体制につ
いて，教えていただきました．諸氏に心から感謝します．
リモートワークで本書ができ上がったことを筑摩書房の渡
辺英明氏に感謝します．最後に，家族の協力で本書が執筆
できました．

　2023 年　初春　　長野県南牧村にて

二井將光

本書は「ちくま学芸文庫」のために書き下ろされたものである。

現代生物学では何が問題になるのか。20世紀生物学に多大な影響を与えた大家が、複雑な生命現象を理解するためのキー・ポイントを、見晴らしのきく読み切り22講義。

おなじみ一刀斎の秘伝公開！極限と連続に始まり、指数関数と三角関数を経て、偏微分方程式に至る。

1次元線形代数学から多次元へ、1変数の微積分から多変数へ。応用面を軸に展開するユニークなベクトル解析のココロ。

数楽的センスの大饗宴！読み巧者の数学談義と数学ファンの画家が、とめどなく繰り広げる興趣つきぬ数学談義。　　（河合雅雄・亀井哲治郎）

理工系大学生必須の線型代数を、その生態のイメージと意味のセンスを大事にしつつ、基礎的な概念をひとつひとつユーモアを交え丁寧に説明する。（亀井哲治郎）

一刀斎の案内で数の世界を気ままに歩き、勝手に遊ぶ数学エッセイ。「微積分の七不思議」「数学の大いなる流れ」他三篇を増補。

「数学のノーベル賞」とも称されるフィールズ賞。その誕生の歴史、および第一回から二〇〇六年までの歴代受賞者の業績を概説。

レヴィ＝ストロースと群論？ニーチェやオルテガの遠近法主義、ヘーゲルと解析学、孟子と関数概念……。数学的アプローチによる比較思想史。

熱の正体は？その物理的特質とは？著者による壮大な科学史。『磁力と重力の発見』の著者による熱力学入門書としての評価も高い。全面改稿。

ちくま学芸文庫

科学的探究の喜び
（かがくてきたんきゅうのよろこび）

二〇二三年三月十日　第一刷発行

著　者　二井將光（ふたい・まさみつ）

発行者　喜入冬子

発行所　株式会社　筑摩書房
　　　　東京都台東区蔵前二 | 五 | 三　〒一一一 | 八七五五
　　　　電話番号　〇三 | 五六八七 | 二六〇一（代表）

装幀者　安野光雅

印刷所　大日本法令印刷株式会社

製本所　株式会社積信堂

乱丁・落丁本の場合は、送料小社負担でお取り替えいたします。
本書をコピー、スキャニング等の方法により無許諾で複製する
ことは、法令に規定された場合を除いて禁止されています。請
負業者等の第三者によるデジタル化は一切認められていません
ので、ご注意ください。

© Masamitsu Futai 2023　Printed in Japan
ISBN978-4-480-51171-3 C0140